Et les chiens
se taisaient

ŒUVRES DU MEME AUTEUR

Cahier d'un retour au pays natal, Bordas, 1945, puis Présence Africaine, 1956.

Les armes miraculeuses, Gallimard, 1946.

Soleil cou coupé, Editions K, 1948.

Corps perdu, Editions Fragrance, 1949.

Discours sur le colonialisme, Présence Africaine, 1955.

Lettre à Maurice Thorez, Présence Africaine, 1956.

Ferrements, Editions du Seuil, 1959.

Toussaint-Louverture, étude historique, Présence Africaine, 1962.

Cadastre, Editions du Seuil, 1961.

La tragédie du roi Christophe, Présence Africaine, 1964.

Une saison au Congo, Editions du Seuil, 1967.

Une tempête, Editions du Seuil, 1969.

Aimé Césaire

Et les chiens se taisaient

TRAGEDIE

(Arrangement théâtral)

PRÉSENCE AFRICAINE
25 bis, rue des Ecoles, Paris 5ᵉ

ACTE I

(Pendant que lentement se lève le rideau on entend l'écho.)

L'ÉCHO

Bien sûr qu'il va mourir le Rebelle. Oh, il n'y aura pas de drapeau même noir, pas de coup de canon, pas de cérémonial. Ça sera très simple quelque chose qui de l'ordre évident ne déplacera rien, mais qui fait que les coraux au fond de la mer, les oiseaux au fond du ciel, les étoiles au fond des yeux des femmes tressailliront le temps d'une larme ou d'un battement de paupière.

Bien sûr qu'il va mourir le Rebelle, la meilleure raison étant qu'il n'y a plus rien à faire dans cet univers invalide : confirmé et prisonnier de lui-même... Qu'il va mourir comme cela est écrit en filigrane dans le vent et dans le sable par le sabot des chevaux sauvages et les boucles des rivières...

Gibier de morgue ce ne sont pas des larmes qui te conviennent, ce sont les faucons de mes poings et mes pensées de silex, c'est ma muette invocation vers les dieux du désastre.

Architecte aux yeux bleus
je te défie

prends garde à toi architecte, car si meurt le
    Rebelle ce ne sera pas sans avoir fait clair
    pour tous que tu es le bâtisseur d'un monde
    de pestilence

architecte prends garde à toi

qui t'a sacré ? En quelle nuit as-tu troqué le
    compas contre le poignard ?
architecte sourd aux choses clair comme l'ar-
    bre mais fermé comme une cuirasse chacun
    de tes pas est une conquête et une spoliation
    et un contresens et un attentat

Bien sûr qu'il va quitter le monde le Rebelle
    ton monde de viol où la victime est par ta
  . grâce une brute et un impie

architecte Orcus sans porte et sans étoile sans
    source et sans orient
architecte à la queue de paon au pas de cancer
    à la parole bleue de champignon et d'acier,
    prends garde à toi

> *(Le rideau est levé.*
>
> *Dans le barathre des épouvantements,*
> *vaste prison collective, peuplée de nè-*
> *gres candidats à la folie et à la mort;*
> *jour trentième de la famine, de la tor-*
> *ture et du délire.*
>
> *Un silence.)*

Rentrez chez vous jeunes filles; il n'est plus temps de jouer; les orbites de la mort poussent des yeux fulgurants à travers le mica blême.

PREMIÈRE FOLLE *(sérieuse)*

C'est une devinette ?

LE RÉCITANT

C'est la saison des étoiles brûlantes qui commence.

DEUXIÈME FOLLE *(riant)*

Ah, c'est un conte.

LE CHŒUR *(menaçant)*

L'île raidit ses pattes d'araignée venimeuse sur la gadoue des barracoons.

PREMIÈRE FOLLE

Hou, HOU

DEUXIÈME FOLLE

Hou, hou

LE RÉCITANT

Jeunes filles, respectez les étrangers qui passent sur les riches ornières du crépuscule.

(Les filles s'écartent.)

Et nous leur aurions volé cette terre ?
Ah ! non ! et ce n'est pas la même chose
nous l'avons prise !
A qui ?
A personne !
Dieu nous l'a donnée...
Et de fait, est-ce que Dieu pouvait tolérer qu'au
    milieu du remous de l'énergie universelle, se
    prostrât cet énorme repos, ce tassement pro-
    digieux, si j'ose dire ce provoquant avachis-
    sement ?
Oui nous l'avons prise
Oh ! pas pour nous ! pour tous !
Pour la restituer, inopportune stagnation, à
    l'universel mouvement !
Et pour que tous en profitent,
comme un scrupuleux fermier
comme un mandataire fidèle, nous la garderons

(Il s'assied lourdement.)

Peuple ingrat !
C'est d'ailleurs un point à débattre s'il y a au
    monde, en dehors de nous, quelque peuple
    qui pense, je dis qui vraiment pense et non
    qui rumine le confus mélange de quelque
    brume d'idées ramenée à ras de cervelle tou-
    tes tièdes de leur respiration ou de leur
    sommeil.

(Las.)

Ah nous sommes seuls
Et quel fardeau !

Porter à soi seul le fardeau de la civilisation !

(Il se lève. Arpentant la véranda.)

Et qui donc sans nous, recenserait les peuples
et comptabiliserait le monde ?
Et voici que par nous le droit se saisissant de
l'héritage de l'instinct immonde, en fait à
l'Homme la dédicace.

L'AMANTE

Embrasse-moi : la vie est là, le bananier hors
des haillons lustre son sexe violet; une poussière étincelle, c'est la fourrure du soleil, un
clapotis de feuilles rouges, c'est la crinière
de la forêt... ma vie est entourée de menaces
de vie, de promesses de vie.

LE REBELLE

O mort où la faim n'avarie, ô dent douce, deux
enfants noirs sur ton seuil ils sont sans pa-
rentage, mort grasse deux enfants maigres
se tenant par la main sur ton seuil, ils sont
crépusculaires et faillis.

L'AMANTE

O mer, ô ressac, ô troupeau de flammes furi-
bondes, moutonnez vos semences.

LE REBELLE

O mort deux enfants noirs dans ton soleil, sois-
leur tranquille et tiède, ô mort dévoreuse de

pigments, grande égale, grande juste sans she-
rif ni gendarme, grande enrouleuse, **grande**
endormeuse de frères.

Embrasse-moi, l'heure est belle; qu'est-ce **que**
la beauté sinon ce poids complet de **menaces**
que fascine et séduit à l'impuissance le **bat-**
tement désarmé d'une paupière ?...

Qu'est-ce la beauté sinon l'affiche lacérée d'un
sourire sur la porte foudroyée d'un **visage** ?
Qu'est-ce mourir sinon la face pierreuse **de**
la découverte, le voyage hors de la **semaine**
et de la couleur à l'envers du soleil ?

Ne calomnie pas le soleil. Est-ce que je maudis
l'ombre, moi ?
je te chéris ombre, pêcheur des beaux **crins**
chevelus du soleil, dans tes ruisseaux **incer-**
tains ô le vent et ses doigts d'orpailleur
attardé.

O mort, ô reine, ô tisseuse aux bons bras, ô **car-**
deuse, ô doigts froids sans onglée, nous **som-**
mes là devant toi deux râleux et **cagneux** au

travers de la chaîne, et vers le simple silence
lancez votre navette faite de vers somptueux.

Beau doux ami, le ciel ingrat sans nous se peu-
  plera-t-il de faucons désillés,
les huîtres perlières sans nous sous le couvercle
  du temps apaiseront-elles de longs gestes
  dormants le serpentement de la blessure
  obscure ?
beau doux ami, sans nous le vent s'en ira-t-il
  déflorant, gémissant vers l'attente cambrée ?

Le parfum de la mandragore s'est séché; la
  colline chasse sur ses aussières; les grands
  remous des vallées font des vagues; les forêts
  démâtent, les oiseaux font des signaux de
  détresse où nos corps perdus bercent leurs
  épaves blanchies.

Quel est celui qui tarde, quel est celui qui se
  fane en oubliance ?

pierre de soufre tombé des nues

bel arc

LE CHŒUR

beau sang

LE DEMI CHŒUR

belle pluie

LE DEMI-CHŒUR

Susciteuse oh,

LE CHŒUR

Susciteuse oh, je ne puis chasser de mes yeux
cette image : des mangeuses de terre dans un
champ d'argile.

LE DEMI-CHŒUR

toutes les mordorures et tout l'espoir au dos
des mains, au creux des mains des feuilles
de caïmitier ne me consoleront pas.

LE REBELLE

J'ai capté dans l'espace d'extraordinaires mes-
sages... pleins de poignards, de nuit, de gémissements ; j'entends plus haut que les
louanges une vaste improvisation de tornades, de coups de soleil, de maléfices
de pierres qui cuisent de petits jours étranges,
l'engourdissement bu à petites gorgées.

un oiseau sans peur jette son cri de flamme jeune dans le ventre chaud de la nuit.

LE REBELLE

... un grand brasier de prunelles rouges et de crabes.
un ensemencement pour voir, de mouches, de palabres, de mauvais souvenirs, de piste de termites, de fièvres à guérir, de torts à redresser, un bâillement d'alligator, une immense injustice.

PREMIÈRE FOLLE

Les morts saluent les croque-morts

DEUXIÈME FOLLE

J'ai entendu dans le tonnerre le chien maigre de la mort...
Salut compagnon maigre.

(Musiques funèbres.)

LE REBELLE

Oh, mes amis, il suffit : je ne suis plus que pâture; des squales jouent dans mon sillage

LE CHŒUR

Les Blancs débarquent, les Blancs débarquent

LE REBELLE

Les Blancs débarquent. Ils nous tuent nos filles camarades.

LE CHŒUR *(terrifié)*

Les Blancs débarquent. Les Blancs débarquent.

LE DEMI-CHŒUR

Jaillissez larmes

LE DEMI-CHŒUR

Coulez rosée

LE REBELLE

Qu'est-ce que tu vois ?

L'AMANTE

La vie poto-poto beaucoup de boue

LE CHŒUR

Tu te souviens ?

L'AMANTE

les fougères arborescentes... torrentiel le bruit de l'eau.

les pitons, les anses... la pluie... ses **arilles de**
clusia rosea...

L'AMANTE

Oh ! un paysage de faux ébéniers, lacs et scir-
pes et la pluie d'or sur le toit de tôle rouillée.

LE REBELLE

roses de Canna éteignez-vous

laisses de basse-mer soyez-moi sœur.

*(Entrent les évêques paissant sous la
houlette de l'archevêque.)*

PREMIER ÉVÊQUE

quelle époque : mes enfants vous avez fait là
une belle boucherie

(Il s'assied sur son trône.)

DEUXIÈME ÉVÊQUE

Une époque étonnante mes frères : la morue
terreneuvienne se jette d'elle-même sur les
lignes

(Il s'assied sur son trône.)

TROISIÈME ÉVÊQUE

je dis que c'est une époque étourdissante ou
stupéfiante à votre gré

> *(Il s'assied sur son trône.)*

QUATRIÈME ÉVÊQUE

une époque phallique et fertile en miracles

> *(Il rit idiotement et s'assied sur son
> trône. Les trois premiers évêques se
> touchent le front du doigt et désignent
> le quatrième évêque pour indiquer
> qu'il est fou.)*

L'ARCHEVÊQUE

allons, j'aime les bêtes de beau pelage : ne tuez
pas les chats.
ouha brrouha ou-ou-ah

> *(Les évêques se touchent le front du
> doigt et désignent l'archevêque pour
> indiquer qu'il a perdu la raison.)*

L'ARCHEVÊQUE

allons, j'entends la flûte perlée des crapauds et
le crécellement rugeux des grillons de la
nuit. Ouha bruhah

> *(Les évêques se lèvent, le groupe sort
> lentement.*
>
> *Vision de forêt et de broussailles. Des
> cavaliers noirs.)*

PREMIER CAVALIER

Fougères bègues, guidez-nous.

DEUXIÈME CAVALIER

Paroles séchées des herbes, guidez-nous.

TROISIÈME CAVALIER

Couleuvres endolories, guidez-nous.

QUATRIÈME CAVALIER

Lucioles, cris du silex, guidez-nous.

CINQUIÈME CAVALIER

Guidez-nous, ô guidez-nous, aloès aveugle, vengeance tonnante armée pour un siècle.

(La troupe s'ébranle, les cavaliers disparaissent dans la forêt.)

PREMIÈRE FOLLE

C'est étrange le soir promène des sorcières...

DEUXIÈME FOLLE

Les araignées au ventre d'œuf entrent avec des mines de pape dans leur palais de fils salué de termites; dans les cavernes désireuses du sommeil des babines de requins s'agitent en rêvant de chasse et de carcasse. Bien sûr les filets protecteurs ne jouent plus : à contre-flot sur les murs de la mer dans le paroxysme du remugle les céphalopodes tricotent leurs pattes attendent et crient; marais marais vomissez vos couleuvres.

LA RÉCITANTE

La mort pleure tout doucement dans le cou du vent doux

LE RÉCITANT

Le feu accroche ses fanes rapaces aux toits fascinés des maisons

LA RÉCITANTE

... la ville s'effondre sur ses jarrets... dans le vertige lent du viol... parmi les chatouilles d'un lit de fumée et de cris

PREMIÈRE FOLLE

Des femmes passent dardant leurs ongles... leurs paroles sont d'effroi... Oh, j'entends croître l'épeautre des nuits... des femmes... la fosse est pleine de sang... des flocons de feu tombent... je vois des lézards de feu, des sauterelles de feu, des colocases de feu.

Ne parlez pas ainsi. Ne parlez pas ainsi... je suis assis dans la désolation. Ma cour un tas d'ossements, mon trône, des chairs pourries, ma couronne un cercle d'excréments. Et voyez : d'étranges noces ont commencé : les corbeaux sont les joueurs de rebec, les os, des osselets; des flaques de vin sur le sol font des caillots fraternels où les ivrognes couchés sont couchés pour longtemps... longtemps.

LA RÉCITANTE *(dolente)*

Nous sommes au moment où la princesse lassée essuie sur ses lèvres une absence de baisers comme une pensée de fruit âcre.

(Elle avance l'aiguille d'un demi-cadran.)

Nous sommes au moment où la princesse a cessé de croire au faiseur de pluie hirsute.

(Elle avance l'aiguille d'un demi-cadran.)

Nous sommes au moment où brin de sourire par brin de sourire la princesse se tisse une robe de pluie inédite.

(Elle avance l'aiguille d'un demi-cadran.)

LA RÉCITANTE

Nous sommes au moment où...

Allons ! assez de billevesées. Nous sommes au moment où il faut convoquer ces Messieurs.
Allons ! l'Amiral... le Commandant des Troupes... Le Haut Commissaire... L'Arpenteur... Le Géomètre... Le Juge... Le Grand Bénisseur... Le Super Geôlier... j'oubliais... Le Banquier

> *(On entend, répercutées pêle-mêle des réponses diverses : « Présent », « on y est »... « d'accord »...)*

LE GRAND PROMOTEUR

A la bonne heure ! Ils sont tous là.
On va pouvoir travailler.

> *(Il avance l'aiguille d'un cadran.)*

Faites chauffer la machine !

> *(On entend en sourdine le bruit d'une machine qui halète de plus en plus fort.)*

LE GRAND PROMOTEUR

> *(Comme récitant des formules cabalistiques.)*

Traquez, traquez
par les terres, par les mers, par les airs, enroulez, enroulez
serrez, serrez... Là... doucement !

qu'il n'y ait pas une motte de terre non piéti-
née, non retournée, non travaillée.

Serrez, serrez...

Que la terre gémisse à se briser dans notre
étreinte virile.

Abattez les barrières, brisez les dieux, que tous
ces noms bizarres, ces faces mal calculées
disparaissent sous nos souffles !

Ah ! Messieurs ! Voilà ! Le monde est pris au
filet.

Ah ah ha ! piétinez, piétinez !

Ils m'appellent l'Avidité, Avare comme ils disent !

nous pourrions laisser ceux-là danser ?

Mon nom c'est le Découvreur, mon nom c'est
l'Inventeur, mon nom c'est l'Unificateur,
celui qui ouvre le monde aux nations !

Tenez : J'étends ma dextre
           J'étends ma senestre
           Je lance le pied droit
           Je lance le pied gauche
                Ah ! je sais bien

La liberté... leur liberté...

Et ils croient m'arrêter en me jetant entre les
pattes l'impedimenta de ce mot creux.

Mais en dépit de leurs sots sobriquets
    toute l'Humanité sue, cherche, trime, pense,

Mais je vous le demande, est-ce que pendant
que

(Il rit.)

La belle carte de visite !

Ces Messieurs seraient les Danseurs de l'Hu-
manité !

Assez de ces foutaises !

Je suis l'Expropriateur.

J'exproprie pour cause d'utilité publique.
Allons Messieurs ! à vos postes !
Faites chauffer la machine !
Je briserai tous ceux qui tenteront de ralentir
   ma marche.
Je suis l'Histoire qui passe !

LE RÉCITANT

Nous sommes au moment où sur le seuil des
   flammes la princesse fait signe à son caca-
   toès préféré
cacatou
cacatou
parmi le livre vide de fins labours défunts.
Nous sommes au moment où neuf scorpions se
   frappent, formés par la malédiction des
   âmes.

LE RÉCITANT

Nous sommes au moment où un volcan se sa-
   borde dans la soute à corail
Nous sommes au moment où l'impératrice dé-
   crète dans les grottes de l'Empire l'inutilité
   des caisses de compensation et se tatoue les
   cuisses d'une pluie de daturas où râle une
   lance flammée.

LA RÉCITANTE *(solennelle)*

Arpège de guitares sinistres, il se lève sous mes
   paupières
une aube saignée à blanc

je suis attente toute attente.
je marche sur les œufs des instants précieux
O les chemins fragiles têtus et certains
de mon royaume qui est et qui n'est pas encore
Il fait beau monstrueusement beau.
Déferlez semaines, scrupules des mondes mou-
    rants;
déferlez filles grosses;
écumez contre mon attente scabreuse.

LE RÉCITANT *(humble)*

Me voici l'homme marchand aux mains vides,
    œil nu suscitant le spectacle, gorge brassant
    vivants les mots éclos contre mes dents.

LA RÉCITANTE

Me voici, moi, moi : la femme obsédée de gran-
    des paroles et je nage parmi les glaïeuls et
    les roses de Jéricho vers l'odeur simple des
    cadavres.

LE REBELLE

Ce n'est pas vrai... il n'y a plus de combats. Il
    n'y a plus de meurtres n'est-ce pas ? Plus
    de crimes flamboyants ? L'orgue de barbarie
    ronronne aveugle des minutes de silence,
    sciure du temps sans poussière.
Ho, Ho, une odeur de cadavre... du sang pétil-
    lant comme une grande cuve de vin.

LA RÉCITANTE

Il n'est que de cogner à la vitre du soleil. Il n'y a qu'à casser la glace du soleil. Il n'y a qu'à découvrir dans la boîte du soleil la houppe rouge des fourmis venimeuses éclatées à tous vents. Ha, Ha.

LE RÉCITANT

Il fait beau. Une gerbéra plus nue qu'une femme dans le soleil joue vers le soleil et le soleil crépite dans les cerveaux fermés, diadème miné, arbre du voyageur, cœur tressé, belles eaux-soufflées-haut-gelées.

PREMIÈRE FOLLE

L'odeur de la terre défoncée des machettes de la pluie fine. Le jour simple est un mouroir... Oh, j'écarte les feuilles de bruit. Oh, j'écoute à travers les fissures de ma cervelle. Il monte. Il monte...

DEUXIÈME FOLLE

Il monte. Il monte. Le soleil est un lion qui se traîne fou brisé de pattes dans la cage qui tremble.

LE REBELLE *(fébrile)*

Il monte... il monte des profondeurs de la terre... le flot noir monte... des vagues de

hurlements... des marais de senteurs anima-
les... l'orage écumant de pieds nus... et il en
grouille toujours d'autres dévalant les sen-
tiers des mornes, gravissant l'escarpement
des ravins torrents obscènes et sauvages
grossisseurs de fleuves chaotiques, de mers
pourries, d'océans convulsifs, dans le rire
charbonneux du coutelas et de l'alcool mauvais...

PREMIÈRE FOLLE

En ma main noire et rouge s'époumone une
aurore de sureau blanc.

DEUXIÈME FOLLE

Au commencement il n'y avait rien.

PREMIÈRE FOLLE

Au commencement il y avait la nuit.

LE REBELLE *(bas)*

La nuit et la misère camarades, la misère et
l'acceptation animale, la nuit bruissante de
souffles d'esclaves dilatant sous les pas du
christophore la grande mer de misère, la
grande mer de sang noir, la grande houle de
cannes à sucre et de dividendes, le grand
océan d'horreur et de désolation. A la fin, il
y a à la fin...

(Il se bouche les yeux.
Loin, très loin, dans un lointain histo-
rique le chœur mimant une scène de
révolution nègre, chants monotones et
sauvages, piétinement confus, coutelas
et piques, un nègre grotesque, le spea-
ker gesticule. Le tout sinistre et bouf-
fon, plein d'emphase et de cruauté.)

LE SPEAKER

Silence, Messieurs, silence.

PREMIER ÉNERGUMÈNE

pas de silence qui tienne : nous sommes libres
et égaux en droit. N'oubliez pas cela.

DEUXIÈME ÉNERGUMÈNE

Et moi je dis : malheur à ceux qui n'ont pas
lu inscrit sur le mur de nos honorables faces
délicotées le Mane Thecel Phares de la ty-
rannie.
Et voici, je sais des têtes qui rouleront comme
des cabosses de cacao : mort aux Blancs.

LE CHŒUR D'ÉNERGUMÈNES

mort aux Blancs, mort aux Blancs.
(Echos répercutants, vociférations et
chants. Le vide et le silence retombent,
lourds.)

(d'une voix cinglante)

A la fin... ce que je vois à la fin... Ah, oui... à
l'extrême fin... la culbute de la bête, la posée
sur cette merde hystérique des goules masti-
catrices, son avachissement visité d'épou-
vante, son insolence triturée de prières, et
sur ses blessures, la pimentade de mon rire
et le sel de mes pleurs.

LE RÉCITANT

Iles, j'aime ce mot frais guetté de karibs et de
requins.

LA RÉCITANTE

Oh j'attends passionnément : je suis cernée

LE RÉCITANT

... cernés d'yeux de cauchemars...

LA RÉCITANTE

cernée d'enfants et d'yeux et de ruées de rire

LE RÉCITANT

Cataractes ; voici les cataractes, et le chant
meurtrier clair des oiseaux.

LA RÉCITANTE *(jetant bas son masque)*

Attention, je crie attention du haut de ma
   guette
plus près
par ici
d'une voix douce et lente de mauvaise récolte
   et de pluie inattendue
la nue noire dessine un nœud coulant

LE RÉCITANT *(jetant bas son masque)*

Attention, je crie attention du haut de ma
   guette
plus près
par ici
le canot des flibustiers pille sur le champ
   d'azur : pour se distraire.
Ivresse et débauche. Une immense étendue se
   dore;
dans les profondeurs du lac lessive un aigle de
   vermeil;
des champs de maïs, d'indigo de cannes à sucre,
   à quelques brasses de profondeur;
des clameurs au creux se ruent au creux et
   bouchent le ciel...

LE CHŒUR *(chantant)*

Hé, mes amis, Ho.

DEUXIÈME CHORISTE *(chantant)*

Hé, mes amis, Ho

La terre est une fatigue, ma fatigue va la fatiguer.

DEUXIÈME CHORISTE

Le soleil est une fatigue, ma fatigue va le fatiguer.

TROISIÈME CHORISTE

La pluie est une fatigue; ma fatigue va la fatiguer.

PREMIER CHORISTE

Hé, mes amis, Ho

DEUXIÈME CHORISTE

Ma fatigue est un gouffre; aucun sommeil ne saurait le combler.

TROISIÈME CHORISTE

Ma fatigue est une soif Ho aucune boisson ne saurait l'apaiser.

LE CHŒUR

Hé, Ho mes amis, Ho. Ma fatigue est un tombereau de sable insonore aux quatre coins de moissons pétrifiées.

PREMIÈRE FOLLE *(chantant)*

Où est celui qui chantera pour nous ?

LE CHŒUR

Il tient un serpent dans sa main droite
dans sa main gauche une feuille de menthe
ses yeux sont des éperviers sa tête une tête de
  chien

DEUXIÈME FOLLE *(chantant)*

Où est celui qui nous montrera le chemin ?

LE CHŒUR

ses sandales sont de soleil pâle
ses courroies sont de sang frais

PREMIÈRE FOLLE *(chantant)*

Préparons la maison pour le bel hôte triomphant.

DEUXIÈME FOLLE *(chantant)*

O chiens, ô scorpions, ô serpents, seuls pas,
  vrais pas qui montez des ténèbres

PREMIÈRE FOLLE *(chantant)*

Préparons le sentier pour le bel homme plein
  de force

LE CHŒUR
(frappant dans ses mains)

c'est en vain qu'il se cache le dernier des
   vivants
pour le louer nous n'avons pas besoin de tambourins,
manioc des brûlis, feu des campements holà !
   écoutez-moi, j'ai soif de vos flèches incendiai-
   res, de vos fumées rouges de piment, de
   votre curare, de votre jénipa.
pour le louer et l'encourager nous n'avons pas
   besoin de tambourins
holà dans le sang feu continu commencez le
   feu dans l'ombre et le fossé
mille excuses c'est ce que nous avons de mieux
   à vous offrir un incendie clignoté saluant de
   souffles l'obscurité armée d'ombres bleues.

PREMIÈRE FOLLE

je le coucherai entre mes seins comme une
   feuille de menthe
je le coucherai entre mes seins comme un pain
   d'encens
je le coucherai entre mes seins comme un poignard rouge.

LE CHŒUR *(psalmodiant)*

Avec tes sandales de pluie et de courage, monte
   surgir imminent
seigneur tout près des larmes, monte dans le
   désert comme l'eau et la montée des eaux
   houleuses de cadavres et de moissons;

monte, très imminent seigneur, la chair vole en copeaux d'Afrique sombre, monte très imminent seigneur, il y aura encore des yeux comme des tournesols ou de grands sojas amoureux bandés d'oiseaux aussi beaux qu'une sonnerie de pomme d'Adam dans l'éclair des colères brèves

LA RÉCITANTE

Vous avez entendu, vous avez entendu, le roi arrive, le roi met pied à terre; le roi monte l'escalier ; le roi franchit la première marche; il en est à la deuxième; le roi est sur le perron.

LE RÉCITANT *(très calme)*

pas après pas le roi a mis le pied dans la fosse camouflée de sourires glissants

LE REBELLE

Vous ne m'empêcherez pas de parler à mes amis sans éclipse
lune grasse mauvaise herbe, sycomore sycomore...
voici mes amours, voici mes haines
et ma voix très sage enfant au bord de votre alcôve.

LE CHŒUR *(lointain)*

O roi debout

LE REBELLE

le fleuve sans idiome s'exaspère des manœuvres
   de la cendre
le cap et la limaille
les oiseaux et les jours
tournent avec leur bruit de serrures;
à l'horizon enfantin les animaux fantastiques
brouteurs de cervelles
ont remisé leurs yeux
enjoués de toute la nuit bue.

LE CHŒUR *(lointain)*

O roi debout

LE REBELLE

je veux peupler la nuit d'adieux méticuleux

LE CHŒUR *(au loin)*

O roi debout

LE REBELLE

des violettes des anémones se lèvent à chaque
   pas de mon sang

LE CHŒUR *(plus lointain)*

O roi debout

... à chaque pas de ma voix, à chaque goutte de
mon nom

LE CHŒUR
(plus lointain encore)

O roi debout

LE REBELLE

... des pommes d'araucaria, des bouquets de
cerises

LE CHŒUR
(presque perdu dans la distance)

O roi debout

LE REBELLE
(d'une voix tonnante)

... des arcs, des signes, des empreintes, des feux

LE CHŒUR *(gémissant)*

O roi debout

LE REBELLE

j'avais amené ce pays à la connaissance de lui-
même,
familiarisé cette terre avec ses démons secrets

allumé aux cratères d'hélodermes et de cym-
bales
les symphonies d'un enfer inconnu, splendide
parasité de nostalgies hautaines.

LE CHŒUR

O roi debout

LE REBELLE

Et maintenant
seul
tout est seul
j'ai beau aiguiser ma voix
tout déserte tout
ma voix peine
ma voix tangue dans le cornet des brumes sans
carrefour
et je n'ai pas de mère
et je n'ai pas de fils.

LE CHŒUR

O roi debout

LE REBELLE

je comprends. Holà chiourme retirez-vous, votre office est fini.
Belle comme la mémoire dessaisie d'oubli frais,
la vengeance s'est dressée avec l'oreille du
jour et toutes les poussières qui tissent la
chair des nuits, toutes les guêpes qui salivent

la cassave des nuits, toutes les sphyrènes qui
   signent le dos des nuits ont forcé jusqu'à
   voir leur œil de jouvence.
Et voici je salue maintenant la dernière nuit
   de mon sexe
foyer
charbon
soleil enraciné dans les mines de ma force
Vous ne m'effraierez pas fantômes je suis fort.
j'ai muselé la mer en écoutant peiner les ma-
   raîchers vers la croupe fabuleuse des matins
   dans une douceur de scandale et d'écume.

                              (La lumière s'éteint.)

                    LE REBELLE

j'ai pacte avec cette nuit, depuis vingt ans je
   la sens qui vers moi doucement hèle...

                         (Des lumignons s'allument.)

                    LE REBELLE

j'ai hélé mes dieux à force de reniements

                              (Ricanements.)

mais ils me regardent, il m'épient, et j'ai peur
des dieux méchants et jaloux.
et leur bras est long, immense, et leur main
   est palmée.
pas moyen d'échapper
je dis que je suis fichu
je dis que je ne peux pas

comment leur faire comprendre que je ne veux
   pas. Que je ne peux pas
pas une touffe de sommeil, par une touffe de
   silence qui ne cache un dieu
et les voix disent que je suis un traître, je ne
   suis pas un ingrat
je me prosterne, je baisse la tête
et le chevreau bêle en mon cœur

> *(Il s'arrête. Apparaissent des figures
> grimaçantes immobiles : ce sont les
> fétiches : animaux fantastiques faces
> difformes énormes prunelles blanches.)*

LE REBELLE
(à plat ventre)

Me voici.

> *(Pause.)*

on a beau peindre blanc le pied de l'arbre la
   force de l'écorce en dessous crie...

> *(Pause.)*

pourquoi aurais-je peur du jugement de mes
   dieux ?
qui a dit que j'ai trahi ?

> *(Pause.)*

les étranges mendiants aux faces de millésime
   qui tantôt menacent
tantôt saluent les aubes
c'est moi
une faim chaque nuit les réveille parmi le ma-
   drépore

une faim de soleil plus large et de pièces de
  monnaies très anciennes.
je me tourne à nouveau vers le vent inconnu
  sailli de poursuites.
je m'en vais
ne parlez pas, ne riez pas
L'Afrique dort, ne parlez pas, ne riez pas.
  L'Afrique saigne, ma mère
L'Afrique s'ouvre fracassée à une rigole de ver-
  mines,
à l'envahissement stérile des spermatozoïdes
  du viol.

PREMIÈRE VOIX TENTATRICE

quel fil tendu par-dessus les forêts les fleuves
  les marais les langues et les fauves ?
je n'ai pas de mère je n'ai pas de passé
j'ai comblé jusqu'à l'oubli de poussières et
  d'insulte le puits marâtre de mon nombril.

LE REBELLE

arrière bourreaux
ah vous me clignez de l'œil
vous me demandez ma complicité ?
au secours au secours au meurtre
ils ont tué le soleil il n'y a plus de soleil, il ne
  reste plus que les taureaux de Basan
une torche est attachée à leur queue furibonde
assassins assassins
ça y est... ils ont reniflé la viande du nègre
ils s'arrêtent
ils rient.

C'est fini, tout est fini, inutile de réclamer, l'action de la justice est éteinte.

Voyez, ils l'ont déchiré en lambeaux, en lambeaux comme un cochon sauvage.

Comme un agouti ? comme une mangouste ?

qui a fait cela ? vous me demandez qui a fait cela ?

non ce n'est pas moi

je suis innocent

Qui ?

Eux

eux les chiens

eux les hommes aux babines saignantes, aux yeux d'acier

mais vous savez je vous dis que l'action de la justice est éteinte.

éteinte, mais la lueur de leurs yeux ne s'éteint jamais.

Assassins, Assassins, Assassins.

LE REBELLE

(S'avançant dans le barathre et circulant de cadavre en cadavre.)

La cendre, le songe..., affamé, affamé...

deux mains brûlantes dans l'assiette du soleil

O morts... le sadisme du maître et le râlement de l'esclave par force coprophage parachèvent en traits de vomi le happement du squale et le rampement du scolopendre.

O, morts en terre franche.

Les beaux yeux aveugles de la terre chantent
d'eux-mêmes

l'école buissonnière, les sourcils joints des
hauts labours

les ruses savantes des colloques sans rime ni
raison aux sables mouvants. La vache des
naufrageurs, la pluie des calvaires et des
vagues ensorcellent de serpents de palabre
de varechs le phare disjoint de sang et d'ombre.

O morts sans caveçon

Je bâtirai de ciel, d'oiseaux, de perroquets, de
cloches, de foulards, de tambours, de fumées
légères, de tendresses furieuses, de tons de
cuivre, de nacre, de dimanches, de bastrin-
gues, de mots d'enfants, de mots d'amour,

d'amour, de mitaines d'enfants,

un monde notre monde

mon monde aux épaules rondes

de vent de soleil de lune de pluie de pleine
lune

un monde de petites cuillers

de velours

d'étoffes d'or

de pitons de vallées de pétales de cris de faon
effarouché

un jour

autrefois

les sœurs égales se donneront la main

dans les chambres de tortures

le monde penchera tout doucement pour mourir sa tête biscornue

les jours bien rangés comme un orphelinat
allant à la messe

les jours avec leurs mines d'assassins polis se
   détrousseront de lait d'herbe d'heures
avec leurs mines de cerisiers sauvages
avec leurs politesses de galères sur la route
   des cygnes
avec leurs airs de château connu
mais aux salles inconnues aussi belles que le
   mensonge qui n'est pas autre chose que
   l'amour du voyage un jour autrefois trève
   de dieu sans dieu des ports inconnus toujours des soleils inconnus toujours.

LE DEMI-CHŒUR

Homme prends garde...

(S'avance l'amante...)

ACTE II

Et maintenant le voici le nautonnier noir de
  l'orage noir, le guetteur
du temps noir et du hasard pluvieux,
il ne sait plus que l'orage
muré dans la passion noire du voyage noir,
un vieillard têtu, fragile, noire interrogation
  du destin dans le cycle
perdu des courants sommaires
mais sa bataille est avec les vents et les rocs
non avec son sexe et son cœur...

LE REBELLE

Va-t'en je ne suis qu'un vaincu
retire-toi
je ne suis qu'un coupé
donné et rejeté
je me dédie au vent absolu
moi moissonneur vaincu de la chair tiède
exalté dans le triomphe salubre des goélands.

(Pause.)

connaissez-vous Ouagadougou la cité de boue
  sèche ?

LE CHŒUR

Ne parlez pas ainsi !

LE REBELLE

connaissez-vous Djénné la cité rouge ?

LE CHŒUR

Oh ne parlez pas ainsi !

LE REBELLE

connaissez-vous Tombouctou ?

LE CHŒUR

Ne parlez pas, ne parlez pas...

LE REBELLE

j'ai étendu mon mouchoir sur les eaux, sur
les eaux de la mort.
j'ai étendu mon mouchoir, hé.
prêtez-moi un parasol pour le soleil de Ouagadougou.

(Pause.)

Parce que j'avais tiré toute la nuit sur ma
chaîne
parce que les mailles à force de japper
s'étaient fixées dans ma chair clignotante et
noire.

les minutes autour de moi processionnent
comme une bande de loups efflanqués
comme un troupeau de coups de fouet
comme les nœuds d'une échelle de corde et de
    statuts
Sujet indocile victime parfaite
défi rivé au front des mares
je ne converse pas avec les dieux
je ne guéris pas les possédés
qu'attendez-vous pour cracher sur moi
l'épais crachat des siècles
mûri
en 306 ans
Trop tard il est trop tard
mes amis je n'y suis pour personne
pour personne
sauf pour l'inondation trop détrempée pour
    que les étoiles y éclatent
sauf pour la boue aux yeux brûlés au sexe
    brûlé
Des filles courent dans mes yeux cahotés de
    luzernes
en faisant sonner leurs sabots de rivières
leurs voix d'arbres sans poussières
leur long corsage de pain, de plaine,
et voici
j'ai commandé pour mes funérailles
un troupeau de buffles sauvages
un cent d'eunuques des sacrifices des tumultes
un vol de couteaux de jet de sagaies de cuivre
    rouge
Mon corps mon corps
brancard je ne jetterai pas le blessé aux chiens
    de l'aubépine

(La lune monte.)

LE REBELLE

lune pourrie
l'amant l'amante
l'arbre fétiche
l'amant l'amante
la colline est un grand seau d'eau qui ne finit
  pas de tomber dans la lumière des failles
des cils
des terres
le ciel a demandé au frangipanier ses empreintes digitales
fin des mondes des nombres
bien entendu on a menti je n'étais pas là
à l'adoration des mages; je n'ai pour moi que
  ma parole
par la grâce des terres jeunes et du bassin sis-
  mique
et des marais fleuris au front d'une blessure
phénix cicindelle catalpa lumière claire
ma parole puissance de feu
ma parole brisant la joue des tombes des cen-
  dres des lanternes
ma parole qu'aucune chimie ne saurait appri-
  voiser ni ceindre
mains de lait sans paroles sans pagne — le
  dragon du dégel
mon grand désir sauvage nu noir sagace et
  brun.

(Pause.)

Ho ho
Leur puissance est bien ancrée
Acquis
Requis

Mes mains baignent dans des bruyères de clairin. Dans des rizières de roucou.

Et j'ai ma calebasse d'étoiles grosses. Mais je suis faible. Oh je suis faible.

Aidez-moi.

Et voici je me retrouve au fil de la métamorphose

noyé aveuglé

apeuré de moi-même, effrayé de moi-même...

Des dieux... vous n'êtes pas des dieux. Je suis libre.

Vos voix ne me jettent que la pierre de ma propre voix

Vos yeux ne m'enveloppent que de mes propres flammes

Vos couteaux de jet qui sifflent autour de ma tête jaillissent

du fourré de cactus de mon sang empoisonné

C'est égal. Les saules font des prairies de crotons rouillés

Les poinsettias m'entourent et dégorgent dans la bile de leurs feuilles

le poignard

rouge du souvenir

et voici les filles qui s'en mêlent

les voici les filles du feu

les chanterelles de l'enfer

les papillons de satin rouge aux ailes plus sonores que la parole et que la nuit

leurs fesses balaient la nuit de leurs projecteurs

les lance-flammes mettent le feu à la brousse de leurs seins

de leurs reins

de leurs cuisses de lait brun de miel noir de miel rouge

He ho papa l'amour
mettez le feu
mettez le feu de vos membres rouges
de vos cheveux rouges de vos pieds rouges
mettez le feu à la berge rouge de vos sexes
  rouges
bombaïa
bombaïa

> *(Il tombe évanoui.)*

LE DEMI-CHŒUR

son dos appuie contre les jours

LE DEMI-CHŒUR

son dos appuie contre les nuits

LE DEMI-CHŒUR

Je me souviens des soirs, le crépuscule était
  un colibri bleu-vert jouissant dans l'hibiscus
  rouge.

LE DEMI-CHŒUR

Le crépuscule hésitait frissonnant et fragile
  parmi les criquets rapiéceurs de ferraille.

LA RÉCITANTE

Qu'il dorme.

LE RÉCITANT

Laissez-le dormir.

Mornes, tuniques aux reins ceints de rivières.

Qu'il dorme.

Laissez-le dormir.

Manguiers d'avril, armes claires, îles.

laissez-le mûrir dans la belle gousse du sommeil.

Laissez-le dormir.
Dans son sommeil il y a des îles, des îles comme le soleil, des îles comme un pain long sur l'eau, des îles comme un sein de femme, des îles comme un lit bien fait, des îles tièdes comme la main, des îles à doublure de champagne et de femme... Ah, laissez-le dormir... dormir...

LE REBELLE *(tâchant de se relever)*

Et laissez-moi, laissez-moi crier à ma suffi-
sance le bon cri saoul de la révolte, je veux
être seul dans ma peau,

je ne reconnais à personne le droit de m'habi-
ter,

est-ce que je n'ai pas le droit d'être seul entre
la paroi de mes os ?

et je proteste et je ne veux pas d'hôte, c'est
terrible,

je ne peux faire un pas sans que je sois agrip-
pé.

Du ravin, de la montagne, du bayahonde, mâ-
chant de la canne, suçant des cirouelles...

La statue que nous sommes en train d'ériger,
camarades, la plus belle des statues. C'est
pour les cœurs absolus avec sur les bras
notre très grand désespoir à force de frémir,
dans l'air lourd et dégagé d'oiseaux, la plus
belle des statues, la seule où ne pousse pas
l'ortie : la solitude

DEUXIÈME FOLLE

Tou-coi, chien ; meurs donc, assez, assez !

(Il retombe.)

LA RÉCITANTE

Qu'il dorme ! Laissez les marsouins sablon-
neux s'avancer entre les hauts tessons de
l'orage vers la mousse jeune et cavalière...

— 51 —

LE RÉCITANT *(confidentiel)*

l'ai-je rêvée ? c'était une ville clamée dont le pavé était des ébats de dauphins et des pommes de raphia dont la poitrine sensible marquait les moindres fléchissements de l'amour...

LA RÉCITANTE

Oh, je ne rêve jamais... et l'air s'est allégé. Et les bruits m'arriveront assourdis de plusieurs siècles. Et je les recueillerai sur ma poitrine de silence jusqu'à ce que vienne se débattre à mes pieds ce beau poisson essoufflé dans son agonie luxuriante de bête plus dorée et plus lisse que toutes les autres bêtes... la vengeance...

LE CHŒUR

je suis le tambourinaire sacré, il est celui qui dans l'éclairage tâtonnant et les relents lance d'un geste sûr sa paume ligneuse et le maillet, il est le roi des aubes et des dieux, il est le pêcheur roux des choses profondes et noires.

LE DEMI-CHŒUR *(absent)*

... une tache de soleil mûrissait d'or et de rose sur la peau de l'eau.

LE DEMI-CHŒUR *(absent)*

Ho, ho, il y avait un bougainvillier saumon et

le long gris clair d'un palmier l'embrasse-
ment constrictor d'une liane gorgée de venin
bleu.

Une aube juste battait sourire
Une aube juste battait espoir
Une aube juste battait de simples paroles plus
    claires que des socs de charrue...
et c'est toujours pour nous la saison des pluies
et des bêtes venimeuses
et des femmes qui s'écroulent enceintes d'avoir
    espéré...

T'es-tu levé ?

Je me suis levé.

T'es-tu levé comme il convient ?

Comme il convient

Et c'est vrai; c'est mille fois vrai salut feuille
    morte

Monde, prends garde, il y a un beau pays qu'ils
  ont gâté de larves dévergondé hors saison
un monde d'éclat de fleurs salies de vieilles af-
  fiches
une maison de tuile cassée de feuilles arra-
  chées sans tempête
pas encore
pas encore
je ne reviendrai que grave
l'amour luira dans nos yeux de grange incen-
  diée comme un oiseau ivre
un peloton d'exécution
pas encore
pas encore
je ne reviendrai qu'avec ma bonne prise de
  contrebande
l'amour vivant herbeux de blé de sauterelles
  de vague de déluge de sifflement de brasiers
  de signes de forêt d'eau de gazon d'eau de
  troupeaux d'eau
l'amour spacieux de flammes, d'instants, de ru-
  ches, de pivoines, de poinsettias, prophétique de chiffres, prophétique de climats

LE CHŒUR

hachoirs, mes doux cantiques
sang répandu ma tiède fourrure
les massacres, mes massacres, les fumées, mes
  fumées font une route peu limpide de jets
  d'eau lancés par les évents de l'incendie

LE REBELLE

laboure-moi, laboure-moi, cri armé de mon
   peuple; laboure-moi
phacochère et piétine piétine-moi
jusqu'à la brisure de mon cœur
jusqu'à l'éclatement de mes veines
jusqu'au pépiement de mes os dans le minuit
   de ma chair...

PREMIÈRE VOIX TENTATRICE

Je suis l'heure rouge l'heure dénouée rouge

DEUXIÈME VOIX TENTATRICE

Je suis l'heure des nostalgies, l'heure des miracles

LE REBELLE

O douceur de mes mains à bâtir
et jamais mains créantes n'auront à ce point
   caressé
l'aventure dans la chose à créer
et je m'obstine à jeter au mufle épais du pré-
   sent le mot : « un jour »
un jour avec dans le ciel la prairie bien four-
   nie du soleil
et il n'y a pas un petit nuage dont ma main
   dès maintenant n'ait lissé les fragiles plumes
   d'oiseau tremblant au bord du nid

   *(On entend dans le lointain des cris
   de « Mort aux Blancs ».)*

pourquoi ai-je dit « mort aux Blancs » ?
est-ce qu'ils croient me faire plaisir avec ce
  cri farouche ?

(Il réfléchit.)

il est très vrai qu'à l'heure où je suis
c'est là un compte à faire
Comment dire ? Quel mot employer ?
L'acte fût-il grossoyé par des mains criminelles,
fût-il signé non d'un sceau d'encre
mais d'un caillot de sang,
je ne me déroberai pas aux instances du grimoire.

Ressentiment ? non; je ressens l'injustice, mais
  je ne voudrais .pour rien au monde troquer
  ma place contre celle du bourreau et lui rendre en billon la monnaie de sa pièce san-
  glante

Rancune ? Non. Haïr c'est encore dépendre.
Qu'est-ce la haine, sinon la bonne pièce de bois
  attachée au cou de l'esclave et qui l'empêtre
ou l'énorme aboiement du chien qui vous prend
  à la gorge
et j'ai, une fois pour toutes, refusé, moi d'être
  esclave.
Oh ! rien de tout cela n'est simple. Ce cri de
  « Mort aux Blancs », si on ne le crie pas
C'est vrai on accepte la puante stérilité d'une
  glèbe usée, mais ha !

si on ne crie pas : « Mort » à ce cri de « Mort
   aux Blancs », c'est d'une autre pauvreté qu'il
   s'agit. Pour moi,
je ne l'accepte ce cri que comme la chimie de
   l'engrais
qui ne vaut que s'il meurt
à faire renaître une terre sans pestilence, riche,
   délectable, fleurant non l'engrais mais l'herbe
   toujours nouvelle.
Comment débrouiller tout cela ?
Je suppose que le monde soit une forêt. Bon !
Il y a des baobabs, du chêne vif, des sapins
   noirs, du noyer blanc;
je veux qu'ils poussent tous, bien fermes et
   drus,
différents de bois, de port, de couleur,
mais pareillement pleins de sève et sans que
   l'un empiète sur l'autre,
différents à leur base
mais oh !

                              (Extatique.)

que leur tête se rejoigne oui très haut dans
   l'éther égal à ne former pour tous
qu'un seul toit
                    je dis l'unique toit tutélaire !
Mon cœur,
des journées, j'ai moulu du grain entre les
   pierres;
des nuits, j'ai guetté le bégaiement du feu.
O douceur, et voici Aurore,
de mes mains écorchées
j'attache et pour toute aire
la courroie de tes chevaux rouges...

      (L'amante se précipite dans la cellule.)

L'AMANTE

mon ami !

(Le Rebelle se libère doucement d'elle.)

LE REBELLE

trop tard il est trop tard
mon amie je n'y suis pour personne
pour personne

L'AMANTE

si jamais tu m'as aimée, si jamais...

LE REBELLE

Quand le vent d'obsidienne passe
pourquoi l'alourdir d'un mot violent ?

L'AMANTE

le destin, je le sais, est un cheval qui s'emballe
mais peut-être un cri d'enfant
le cri de ton enfant...

LE REBELLE

... né de mon sang le plus impétueux
du zénith de mon amour
tout plein de ma fougue en son plein
je le nourrirai d'un grand exemple

ce n'est pas d'exemples
c'est de pain, de soins, de veilles qu'il faut le
   nourrir, oui de tendresses chaudes, de présence tremblante...

LE REBELLE

et pour cela ?

L'AMANTE

et pour cela il faut vivre.

LE REBELLE

Ah, oui, de cette vie que vous tous m'offrez !
Merci. Ah c'est cela qui tous vous perd
et le pays se perd de vouloir à tout prix se jus-
   tifier d'accepter l'inacceptable.
Je veux être celui qui refuse l'inacceptable.
Dans votre vie de compromis je veux bâtir,
moi, de dacite coiffé de vent,
le monument sans oiseaux du Refus.

L'AMANTE

l'absolu, mon absolu à moi, c'est la vie
c'est le soleil, c'est toi. C'est moi, c'est notre
   enfant
qui veut être, et que tu sacrifies à des chimères.

Des chimères ? Parce que le soleil tarde,
doutes-tu qu'il se lève ?

L'AMANTE

il se lève tous les jours.

LE REBELLE

le nôtre aussi... tous les jours... chaque jour de
proche en proche vers un zénith il monte,
gagnant à travers des milliers de cœurs

L'AMANTE

des mots ! Ce sont des mots que tu dis là !
Avoue, tu joues à te sculpter une belle mort,
mais
je suis celle qui se met au travers du jeu et
hurle !

LE REBELLE

Femme ne m'affaiblis pas de paroles querel-
leuses,
c'est grand jour aujourd'hui, laisse-moi grand
courage

L'AMANTE

tu feins ! mais au fond de toi-même tu sais
bien que les choses ne changeront pas.

Est-ce que le sang sera moins hésitant ?
Est-ce que l'homme sera jamais plus proche
  que l'arbre du paysage ?

LE REBELLE

Evidemment on peut se dire ça
évidemment il faut se dire ça
mais après !
Avant, c'est un prétexte !
Et il ne me convient pas que l'on se donne des
  prétextes
pour se dispenser de chercher.
Assez !

L'AMANTE

tu le vois bien, tu n'as même pas la foi.
Rien que ton orgueil
et c'est à ce dieu que tu sacrifies !
de quelle lumière t'illumine-t-il ?
quelle eau rafraîchissante te dispense-t-il ?
ton dieu n'est qu'un morceau d'idée
que l'habitude a coincé dans ton cerveau têtu

LE REBELLE

je t'en prie, tais-toi.

L'AMANTE

je ne me tairai point
je ne m'en découvre pas le droit

— 61 —

j'assombrirai jusqu'à la nuit d'une furieuse
fumée
de cris, à la rendre irrespirable à la narine
têtue.

Mon amie... mon amie des jours difficiles,
sois mon amie du dernier combat.
Mon fils ?
eh bien tu lui diras la grande lutte
trois siècles de nuit amère conjurés contre
nous.
Dis-lui que je n'ai pas voulu que ce pays fût
seulement
une pâture pour l'œil, la grossière nourriture
du spectacle,
je veux dire ce confus amas de collines coupé
de langues d'eau !

Oui qu'il fût autre chose : un hurlement de
veuve,
un gémissement d'orphelin !

Dis-lui,
comment dirais-je ?
Femme
je ne sais quel gré ce peuple me saura
mais je sais qu'il lui fallait autre chose qu'un
commencement
quelque chose comme une naissance.

Que de mon sang oui, que de mon sang
je fonde ce peuple
et toi...

L'AMANTE

Que je te laisse mourir ?
embrasse-moi le monde est jeune

LE REBELLE

O comme le monde est fragile

L'AMANTE

Embrasse-moi : l'air comme un pain se dore et
lève

LE REBELLE

comme le monde est solennel !

L'AMANTE

Embrasse-moi : le monde flue d'aigrettes, de
palmes
de spicenards, de désirs de canéfices

LE REBELLE

Oh le monde est mat de chevaux cabrés.

L'AMANTE

Embrasse-moi ; embrasse-moi ; dans mes yeux
les mondes se font et se défont ; j'entends
des musiques de mondes... les chevaux
approchent... un paquet de frisson gave le
vent charnel de venaisons...

(Un silence prodigieux.)

LE REBELLE

Femme...

*(La mère jusqu'ici immobile écarte
l'Amante.)*

LA MÈRE

Et la plus malheureuse est à tes pieds

LE REBELLE

A mes pieds ? Je ne parle depuis longtemps
qu'à celle qui fait que la nuit est vivante et
le jour feuillu.

LE DEMI-CHŒUR

Celle qui fait du matin un ruisseau de jonques
bleues ?

LE DEMI-CHŒUR

Celle qui fait...

que le silex est impardonnable. Femme du couchant, femme sans rencontre, qu'avons-nous
à nous dire ? A l'heure rouge des requins, à
l'heure rouge des nostalgies, à l'heure rouge
des miracles, j'ai rencontré la *Liberté*.
Et la mort n'était pas hargneuse mais douce
aux mains de palissandre et de jeune fille
   nubile
aux mains de charpie et de fonio
douce
nous étions là
et une virginité saignait cette nuit-là
timonier de la nuit peuplée de soleils et d'arcs-
   en-ciel
timonier de la mer et de la mort
liberté ô ma grande bringue les jambes pois-
   seuses du sang neuf
ton cri d'oiseau surpris et de fascine
et de chabine au fond des eaux
et d'aubier et d'épreuve et de letchi triomphant
et de sacrilège
rampe rampe
ma grande fille peuplée de chevaux et de feuil-
   lages
et de hasards et de connaissances
et d'héritage et de sources
sur la pointe de tes amours sur la pointe de
   tes retards
sur la pointe de tes cantiques
de tes lampes
sur tes pointes d'insectes et de racines
rampe grand frai ivre de dogues de mâtins et
   de marcassins

de bothrops lancéolés et d'incendies
à la déroute de l'exemple scrofuleux des cata-
plasmes.

LA MÈRE

O mon fils mal éclos.

LE REBELLE

Quelle est celle qui me trouble sur le seuil du
repos ? Ah, il te fallait un fils trahi et vendu...
et tu m'as choisi... Merci.

LA MÈRE

Mon fils.

LE REBELLE

Et il fallait aussi n'est-ce pas à ceux qui t'ont
envoyée, il leur fallait mieux que ma défaite,
mieux que ma poitrine qui se rompt, il leur
fallait mon *oui*... Et ils t'ont envoyée. Merci.

LA MÈRE

tourne la tête et me regarde

LE REBELLE

mon amie, mon amie
est-ce ma faute si par bouffée du fond des âges,
plus rouge que n'est noir mon fusc, me mon-

tent et me colorent et me couvrent la honte
des années, le rouge des années et l'intem-
périe des jours
la pluie des jours de pacotille
l'insolence des jours de sauterelle
l'aboi des jours de dogue au museau plus verni
que le sel
je suis prêt
sonore à tous les bruits et plein de confluences
j'ai tendu ma peau noire comme une peau de
bourrique.

LA MÈRE

cœur plein de combat, cœur sans lait.

LE REBELLE

Mère sans foi

LA MÈRE

mon enfant... donne-moi la main... laisse pous-
ser dans ma main ta main redevenue simple.

LE REBELLE

le tam-tam halète. le tam-tam éructe. le tam-
tam crache des sauterelles de feu et de sang.
ma main aussi est pleine de sang.

LA MÈRE *(effrayée)*

tes yeux sont pleins de sang.

LE REBELLE

Je ne suis pas un cœur aride. Je ne suis pas un
cœur sans pitié.
Je suis un homme de soif bonne qui circule
fou autour de mares empoisonnées.

LA MÈRE

Non... sur le désert salé, et pas une étoile sauf
le gibet à mutins et des membres noirs aux
crocs du vent.

LE REBELLE *(ricanant)*

Ha, Ha, quelle revanche pour les Blancs. La
mer indocile... le grimoire des signes... la famine, le désespoir... Mais non, on t'aura
menti, et la mer est feuillue, et je lis du haut
de son faîte un pays magnifique, plein de
soleil... de perroquets... de fruits... d'eau
douce... d'arbres à pain.

LA MÈRE

... un désert de béton, de camphre, d'acier, de
charpie, de marais désinfectés,
un lieu lourd miné d'yeux de flammes et de
champignons...

LE REBELLE

Un pays d'anses, de palmes, de pandanus... un
pays de main ouverte...

voyez, il n'obéit pas... il ne renonce pas à sa vengeance mauvaise... il ne désarme pas.

LE REBELLE *(dur)*

Mon nom : offensé; mon prénom : humilié; mon état : révolté; mon âge : l'âge de la pierre.

LA MÈRE

Ma race : la race humaine. Ma religion : la fraternité...

LE REBELLE

Ma race : la race tombée. Ma religion...
mais ce n'est pas vous qui la préparerez avec votre désarmement...
c'est moi avec ma révolte et mes pauvres poings serrés et ma tête hirsute

(Très calme.)

Je me souviens d'un jour de novembre ; il n'avait pas six mois et le maître est entré dans la case fuligineuse comme une lune rousse, et il tâtait ses petits membres musclés, c'était un très bon maître, il promenait d'une caresse ses doigts gros sur son petit visage plein de fossettes. Ses yeux bleus riaient et sa bouche le taquinait de choses sucrées : ce sera une bonne pièce, dit-il en me regardant, et il disait d'autres choses aimables le maître, qu'il fallait s'y prendre très tôt, que ce n'était pas trop de vingt ans pour faire un bon chrétien et un bon esclave, bon sujet et bien dévoué, un bon garde-chiourme de commandeur, œil vif et le bras ferme. Et cet homme spéculait sur le berceau de mon fils, un berceau de garde-chiourme.

LA MÈRE

Hélas tu mourras.

LE REBELLE

Tué... Je l'ai tué de mes propres mains...
Oui : de mort féconde et plantureuse...
c'était la nuit. Nous rampâmes parmi les cannes à sucre.
Les coutelas riaient aux étoiles, mais on se mo-
quait des étoiles.
Les cannes à sucre nous balafraient le visage
de ruisseaux de lames vertes
Nous rampâmes coutelas au poing...

LA MÈRE

J'avais rêvé d'un fils pour fermer les yeux de sa mère.

LE REBELLE

J'ai choisi d'ouvrir sur un autre soleil les yeux de mon fils.

LA MÈRE

... O mon fils... de mort mauvaise et pernicieuse

LE REBELLE

Mère, de mort vivace et somptueuse.

LA MÈRE

pour avoir trop haï

LE REBELLE

Pour avoir trop aimé.

LA MÈRE

Epargne-moi, j'étouffe de tes liens. Je saigne de tes blessures.

LE REBELLE

Et le monde ne m'épargne pas... Il n'y a pas dans le monde un pauvre type lynché, un pauvre homme torturé, en qui je ne sois assassiné et humilié

LA MÈRE

Dieu du ciel, délivre-le !

Mon cœur tu ne me délivreras pas de mes souvenirs...

C'était un soir de novembre...

Et subitement des clameurs éclairèrent le silence,

Nous avions bondi, nous les esclaves, nous le fumier, nous les bêtes au sabot de patience.

Nous courions comme des forcenés; les coups de feu éclatèrent... Nous frappions. La sueur et le sang nous faisaient une fraîcheur. Nous frappions parmi les cris et les cris devinrent plus stridents et une grande clameur s'éleva vers l'est, c'étaient les communs qui brûlaient et la flamme flaqua douce sur nos joues.

Alors ce fut l'assaut donné à la maison du maître.

On tirait des fenêtres

Nous forçâmes les portes.

La chambre du maître était grande ouverte. La chambre du maître était brillamment éclairée, et le maître était là, très calme... et les nôtres s'arrêtèrent... c'était le maître... J'entrai. C'est toi me dit-il, très calme... C'était moi, c'était bien moi, lui disais-je, le bon esclave, le fidèle esclave, l'esclave esclave, et soudain ses yeux furent deux ravets apeurés les jours de pluie... je frappai, le sang gicla : c'est le seul baptême dont je me souvienne aujourd'hui.

J'ai peur de la balle de tes mots, j'ai peur de
tes mots de poix et d'embuscade. J'ai peur
de tes mots parce que je ne peux les prendre
dans ma main et les peser... Ce ne sont pas
des mots humains.
Ce ne sont point des mots que l'on puisse prendre dans la paume de ses mains et peser
dans la balance rayée de routes et qui tremble...

(La mère s'écroule.)

LE REBELLE
(penché sur la morte ou l'évanouie)

Femme, ton visage est plus usé que la pierre
ponce roulée par la rivière
beaucoup, beaucoup,
tes doigts sont plus fatigués que la canne
broyée par le moulin,
beaucoup, beaucoup,
Oh, tes mains sont de bagasse fripée, beaucoup, beaucoup,
Oh, tes yeux sont des étoiles égarées beaucoup, beaucoup,
Mère très usée, mère sans feuille tu es un flamboyant et il ne porte plus que les gousses.
Tu es un calebassier, et tu n'es qu'un peu-
plement de couis...

(Pause.)

UNE VOIX

Assassin, il a tué son maître

UNE VOIX

Assassin, maudit, il va tuer sa mère

UNE VOIX

Assassin à mort coupez-lui les mains

UNE VOIX

A mort, à mort, crevez-lui les yeux

UNE VOIX

C'est ça, qu'on lui crève les yeux.

LE REBELLE *(aveuglé)*

Coursiers de la nuit, entraînez-moi.

LE CHŒUR

Le jour est sous la pluie contagieuse une maison fermée
Le jour est dans la nuit empoisonnée une ville qui se ferme.
O galérien, ô pèlerin, sous la pluie et dans la nuit sans huis
tes pas voûtés, mes pas voûtés dans la percée sans mains et sans oreilles sans eau et sans heurtoir torturée de sentinelles.

LE REBELLE

Coursiers de la nuit entraînez-moi...

(S'avançant vers le chœur.)

Mes enfants je suis un roi qui ne possède rien

LE CHŒUR

O roi debout

LE REBELLE

... Qui ne possède rien

LE CHŒUR

O roi debout

LE REBELLE

Ravaudeurs du désert, baptisez-moi.

(Il s'incline face contre terre les bras écartés. Un des hommes lui verse de la terre sur la tête et la nuque.)

Terre farineuse, lait de ma mère, chaud sur ma nuque, ruisseau riche, demi-ténèbres, exige, dirige...

(Il approche l'oreille du sol.)

Oh ! des pas; des sabots de chevaux, de rampements de larves grossies dans la vallée de mes oreilles... je suis atteint. Oh oh je suis atteint.

(Il se redresse.)

Coursiers de la nuit entraînez-moi...

ACTE III

LE REBELLE

Ténèbres du cachot, je vous salue.

UN GEÔLIER *(au public)*

Regardez-le, caricatural à souhait, la mine dé-
confite, la face blette, les mains frileuses,
chef hypocrite et sournois d'un peuple de
sauvages, triste conducteur d'une race de
démons, calculateur sournois égaré parmi
des frénétiques.

LE REBELLE

Attaché comme une enseigne au haut bout du
pays, je ne sanglote pas, j'appelle.

LE GEÔLIER

Nous avons miné l'écho, tes paroles brûleront
comme des excréments.

LE REBELLE

J'ai acclimaté un arbre de soufre et de laves
chez un peuple de vaincus

La race de terre la race par terre s'est connu
   des pieds
Congo et Mississipi coulez de l'or
coulez du sang
la race de terre, la race de cendre marche
les pieds de la route explosent de chiques de
   salpêtre

Tu expieras prisonnier de la faim, de la solitude, du désespoir

Non. Le paysage m'empoisonne des aconits de
   son alphabet. Aveugle, je devine mes yeux
   et le nuage a la tête du vieux nègre que j'ai
   vu rouer vif sur une place, le ciel bas est un
   étouffoir, le vent roule des fardeaux et des
   sanglots de peau suante, le vent se conta-
   mine de fouets et de futailles et les pendus
   peuplent le ciel d'acéras et il y a des dogues
   le poil sanglant et des oreilles... des oreilles...
   des barques faites d'oreilles coupées qui glis-
   sent sur le couchant.
Va-t'en homme, je suis seul et la mer est une
   manille à mon pied de forçat.

Pitié, je demande pitié

Qui a dit pitié ?

qui essaie par ce mot incongru d'effacer le tableau noir et feu ? qui demande grâce ?

Est-ce que je demande grâce à mes yeux aveuglés ?

est-ce que je ne subis pas mes visions irréparables ?

et je n'ai pas besoin de harpon. Et je n'ai pas besoin de merlin.

Pas de pardon.

J'ai remonté avec mon cœur l'antique silex, le vieil amadou déposé par l'Afrique au fond de moi-même.

je te hais. Je vous hais.

Et ma haine ne mourra pas.

Aussi longtemps que le soleil obèse chevauchera la vieille rosse de la Terre.

Et maintenant le passé se feuille vivant

le passé se haillonne comme une feuille de bananier.

le cataclysme à la tête de scalp, à la cervelle de rouages de larves et de montres

au hasard des fables,

au hasard des victimes expiatrices

attend

les yeux chavirés de palabres magnétiques.

Liberté, liberté,

j'oserai soutenir seul la lumière de cette tête blessée.

> *(Entre le messager.)*

LE CHŒUR

Ah, voici le digne messager de cette race cupide.

l'or et l'argent ont tissé leur teint pâle.

l'attente de la proie a busqué leur nez fauve

l'éclat de l'acier niche en leurs yeux froids
Ah, c'est une race sans velours.

Salut.

O mes membres de mur bousillé
vous n'éteindrez pas de fatigue et de froid
mon cri fumant mon cri intact d'animal pris
    au piège.

J'ai dit salut.

qui m'appelle ? j'écoute je n'écoute pas.
il y a dans ma tête une rivière de boue
    d'ablettes de choses troubles et vertes, d'oi-
    seaux morts, de ventres jaunes,
des miaulements entrecroisés giclés très près
    du bâillon
mes années convulsées peintes en feu
des plaques tournantes de marécages de cra-
    tères de fillettes violées
Il y a dans mes oreilles
le peloton d'exécution dans les caponnières du
    matin.

une trompette guerrière a passe dans les airs :
    elle crachait de la poussière et de la fumée.

des singes gambadaient autour du lion à face
  d'homme.

LE REBELLE

je ne crains rien mes amis
aujourd'hui est un jour de connivence.
il est des jours amers à ma lèvre et le mangot
  qui tombe tombe lugubrement et les fleurs
  ressemblent à des ensevelies qui répondent
  de plus en plus faiblement, mais aujourd'hui
  je suis en paix et le filao me fait des signes
  et la mer me sourit de toutes ses fossettes et
  chaque mancenillier se double et se suicide
  de l'olivier propice.
Jour de l'épreuve soyez le bienvenu.

(Pause.)

Hé bien ! te voilà digne messager de la race
  supérieure.
pleins de flair ayant humé l'odeur du trésor
  proche nos maîtres t'ont délégué pour ouïr
  la révélation de nos petits secrets... c'est très
  bien... la civette n'accourt pas plus vite sur
  les pas de la gazelle.

(Pause.)

ravale ton message
je veux mourir ici
seul
tiens ne fais pas cette tête-là
je le connais ton message...
ma liberté n'est-ce pas ?

— 81 —

6

mais le colon le légitime du sucre de canne du
   clairin de la fève de cacao et de café
dressera aux quatre coins de notre lassitude sa
   gueule de table de matières et de requiescat
et il fera à nos négresses des mulâtresses
en paix c'est ça
hein ?
et puis encore ceci

                                   (Parodique.)

bandes de salauds, reprenez le travail,
si vous ne vous exécutez pas presto le malheur
   est sur vous...
Les anolis vous suceront la plante des pieds...
   les menfenils vous mangeront le foie... le
   tafia vous fera naître des termites dans la
   gorge... dans vos yeux nicheront les guêpes...
   et quand vous mourrez (de mauvaise graisse
   et de fainéantise), vous serez mauvais nègres
   condamnés à planter de la canne et à sarcler
   dans la lune où il n'y a pas d'arbre à pain...
   Eh bien c'est ça... entendu nous aurons la
   patience des termites, pour gentillesse, la
   gentillesse des crabes qui reculent quand on
   leur donne un coup de pied sur le museau,
   pour docilité celle des étoiles, celle des tiques
   qui éclatent sous le talon des nuages.

                                    (Délirant.)

Oh, laissez-moi, laissez-moi.
Que me voulez-vous ? pourquoi s'acharner sur
   moi ? c'est vrai vous ne savez pas qui je suis.
   Regardez l'élégance de mes bras, la finesse
   de mes mains.

                                    (Haineux.)

Eh, bien, fous le camp, je veux dire tu repas-
seras demain... c'est ça...

tu as compris... j'en étais sûr... on est tout de
même mieux seul...

et sans rancune hein... et je pousserai d'une
telle raideur le grand cri nègre que les assi-
ses du monde en seront ébranlées.

(Le messager sort à reculons.)

LA RÉCITANTE

je dis que ce pays est un ulcère

LE RÉCITANT

je dis que cette terre brûle

LA RÉCITANTE

j'avertis : malheur à qui frôle de la main la
résine de ce pays

LE RÉCITANT

je dis que ce pays monstrueusement dévore

LA RÉCITANTE

ce pays est maudit
ce pays bâille ayant craché l'ankylostome
Cuba, une bouche de clameurs vides

ce pays mord : bouche ouverte d'une gorge de
feu convergence de crocs de feu sur la
croupe de l'Amérique mauvaise.

LA RÉCITANTE

en marge des marées sautillantes je marche
sur l'eau des printemps tournants et j'aper-
çois très haut mes yeux de sentinelle. l'in-
somnie à toute épreuve grandit comme une
désobéissance le long des temps libres de la
femme à l'amphore, verseau, verseau, tempête de germes, bouilloire.

LE REBELLE

je démêle avec mes mains mes pensées qui sont
des lianes sans contracture, et je salue ma
fraternité totale.
Les fleuves enfoncent dans ma chair leur museau de sagouin
des forêts poussent aux mangles de mes
muscles
les vagues de mon sang chantent aux cayes
je ferme les yeux
toutes mes richesses sous mes mains
tous mes marécages
tous mes volcans
mes rivières pendent à mon cou comme des
serpents et des chaînes précieuses

LE RÉCITANT

Il est debout dans le grondement du fleuve...
de la rive d'or cent guerriers lui lancent un
cent de sagaies... sa poitrine est lunée de
cicatrices.

LA RÉCITANTE

C'est le jour de l'épreuve
le rebelle est nu. le bouclier de paille tressée
est à sa main gauche...
il s'arrête, il rampe... il s'immobilise un genou
en terre... le torse est renversé comme une
muraille. la sagaie est levée...

> *(A ce moment un cortège du moyen
> âge africain envahit la scène : magni-
> fique reconstitution des anciennes
> civilisations du Bénin.)*

PREMIÈRE VOIX TENTATRICE

Ma voix froisse des mots de soie
ma voix souffle en ombelle des panaches
ma voix sans saison d'entre les vasques creuse
mille songes harmonieux
ma voix de cils aiguise juste mille insectes
triomphants
ma voix est un bel oiseau flamboyant d'or
de mousseline de ciel de désir sans parade
mes voix humides roulent des ruisseaux de colombes sans effroi sur des galets de jaspe et
d'ecbatane...

Quelle est la cachée qui me traverse d'or et d'argent et m'assiège de dangers de caresses inconnues ?

LE RÉCITANT

j'ai interrogé les dés sacrés. je dis qu'il habite en toi un être royal sommeillant sur un lit étroit.

LE REBELLE

je dis que nous avons cloché un branle nouveau au monde en heurtant trois mots d'or...

PREMIÈRE VOIX TENTATRICE

Ha, Ha, Ha, des mots, rien que des mots : veux-tu de l'argent ? des titres ? de la terre ? Roi... c'est ça... tu seras roi... je jure que tu seras roi.

LE REBELLE

je tire un pied
Oh je tire l'autre pied
laissez-moi sans m'insulter de promesses me dégluer de la charogne et de la boue...

DEUXIÈME VOIX TENTATRICE

... un roi quelle aventure. Et c'est vrai qu'il y a quelque chose en toi qui n'a jamais pu se

soumettre, une colère, un désir, une tris-
tesse, une impatience, un mépris enfin, une
violence... et voilà tes veines charrient de
l'or non de la boue, de l'orgueil non de la
servitude. Roi tu as été Roi jadis.

LE REBELLE

Fête de nuit
les maisons fendues filent leur coupe abstraite
  de serpents
fer de lance et de rosace
les villes sautent comme les moutons du vomi-
  to-negro
le fleuve grossi fait le paon
sur la digue rompue
des fenêtres s'ouvrent sur toujours
cessez la torture croisière des paradis barrés
  de turbations
au bord de la mer une campagne de rhum et
  de contrebande
dédouble de soleils nichés
la fièvre lisse des jours.

LE CHŒUR

Bornou, Sokoto, Bénin et Dahomey, Sikasso
Sikasso
je sonne le rassemblement : ciels et seins, brui-
  nes et perles, semailles, clefs d'or.

LE REBELLE

Martinique, Jamaïque
tous les mirages et tous les lampornis

ne peuvent faire sonner l'oubli dormant
le coup de feu le sang gâché le chant d'acier
abîmes fraternels des roses de Jéricho

LE CHŒUR

Tu n'échapperas pas à ta loi qui est une loi de
domination

LE REBELLE

Ma loi est que je courre d'une chaîne sans cas-
sure jusqu'au confluent de feu qui me vola-
tilise qui m'épure et m'incendie de mon
prisme d'or amalgamé

LE CHŒUR

goût des ruines ; baiser funèbre ; la lune dé-
croît, le Roi se cache.

LE REBELLE

Je ne veux pas être le grain de parfum où se
résume et se fête l'innombrable sacrifice des
roses désarmées

LE RÉCITANT

Tu périras

LA RÉCITANTE

Hélas tu périras

Eh bien, je périrai. Mais nu. Intact.
Ma main dans ma main, mon pied sur le sol,
quel est en passe de noyés et de nasses ce sombre écroulement vers le couchant ?
le monde assassiné d'ambages, pris dans le filet
  de ses propres parenthèses, coule.
Nu comme l'eau
nu comme le regard unicorne de midi
comme le cri et la morsure
j'éclaircis de basses buées
le monde sans reconnaissance et sans ingrati-
  tude
où la pensée est sans équivoque une fleur au
  cœur de papillon
je veux un monde nu d'univers non timbré
une petite fille du Fouta ronge un os en forme
  de candélabre
et je suis jeune, je suis opulent de jeunesse,
  d'une enfance d'avant les portes et les fenêtres, d'une enfance de libation et d'holocaus-
  tes au fil des yeux au fil des heures. Un lac
  de sécheresse pend sur ma joue, mais il
  pleure des yeux aux arbres de Judée baignés
  de crocus et d'anémones
je suis nu
je suis nu dans les pierres
je veux mourir

LA RÉCITANTE

Patience, je regarde, j'ai regardé.
ma tête polaire engloutit les lueurs des cadavres les casques brisés les débris inconso-
  lables

je ne suis pas un poulpe, je ne cracherai pas
de la nuit et de l'encre au visage de la mort.

LA RÉCITANTE

une fille terrible brise sa coquille de désastre,
des tireurs de coyotes se réveillent dans une
hutte d'absinthe heureuse.

LE REBELLE

Approchez donc flammes effilées, paquets de
frissons. Que la senteur des feux jette son
javelot autour de ma tête.

LA RÉCITANTE

Et il n'y a plus maintenant qu'un homme perdu, tragique comme un moignon de palmier
dans l'émeute banale et le champ de la foudre. Ses yeux poussiéreux s'élancent dans
une steppe sans ombre et sans eau
et il mâche ombre et eau
une prière qu'il ne vendra pas.

LE REBELLE

... ma prière de cobra... ma prière de murène
dans les forêts de la mer
ma prière de lait de cactus dans les halliers du
ciel...

... j'ai regardé et les ponts sont coupés...
les étoiles ont débridé leurs cicatrices de sable

LE REBELLE

Ha, Ha
nous ne voyons plus
ha, ha,
nous sommes aveugles
aveugles par la grâce de dieu et de la peur
et tu ne vois rien parmi l'herbe nouvelle ?
rien parmi le barattement de la terre et le
    convulsif chahut végétal
rien dans la mer n'est-ce pas ?
Je vois, J'entends... Je parlerai...
O succion nouvelle de mon sang par le soleil
    vampire
ô assaut de mon roc par la nuit corsaire et
    mon aube a pété sous leur gueule ses fracas
    de midi et de goélands,
Ligotez-moi,
piétinez-moi. Assassinez-moi. Trop tard.
les heures débusquées sonnent sur les accal-
    mies
et les fanaux de mouillage
les heures sonnent renifleuses
et s'allongent aux caresses de mes mains
les flammes s'allongent
moi aussi je suis une flamme
je suis l'heure
j'entends ce que dit le vent
la langue de brandon dans ma gorge desséchée

(faisant fonction de foule)

Il est Roi... il n'en a pas le titre, mais bien sûr
   qu'il est roi...
un vrai Lamido... voici sa garde... les casques
   d'argent s'enflamment au crépuscule

LE RÉCITANT

Le Roi a froid... le roi grelotte... le roi tousse

LA RÉCITANTE

Hélas, Hélas, l'Europe arachnéenne bouge ses
   doigts et ses phalanges de navires... Hélas
   hélas.

LA FOULE-CHŒUR

mes souvenirs délirent d'encens et de cloches...
   le Niger bleu... le Congo d'or... le Logone sa-
   blonneux... un galop de bubales... et les pi-
   leuses de millet dans le soir de cobalt.

LE RÉCITANT

mes souvenirs brament le rapt... le carcan... la
   piste dans la forêt...
le baracoon... le négrier.

LE DEMI-CHŒUR

ils nous marquaient au fer rouge...

LE REBELLE

Et l'on nous vendait comme des bêtes, et l'on nous comptait les dents... et l'on nous tâtait les bourses et l'on examinait le cati ou décati de notre peau et l'on nous palpait et pesait et soupesait et l'on passait à notre cou de bête domptée le collier de la servitude et du sobriquet.

LE RÉCITANT

Le vent s'est levé,
les savanes se fendent dans une gloire de panaches folles... j'entends des cris d'enfants dans la maison du maître...

LE REBELLE

j'entends des cris d'enfants dans la case noire... et les petits ventres pierreux pommés en leur mitan du nombril énorme se gonflent de lamine et du noir migan de la terre et des larmes et de la morve et de l'urine.

LE RÉCITANT

au nom de tous les désirs effrités en la mare de vos âmes

LA RÉCITANTE

au nom de tous les rêves paresseux en vos cœurs je chante le geste d'acier du matador je chante le geste salé du harponneur et la baleine a soufflé pour la dernière fois.

un oiseau et son sourire... un navire et ses racines... l'horizon et ses cheveux de pierres précieuses... une jeune fille au sourire d'herbe déchire en fines alouettes le vin des jours, la pierre des nuits...

Assez,
j'ai peur je suis seul
mes forêts sont sans oreilles mes fleuves sans chair
des caravelles inconnues rôdent dans la nuit.
Est-ce toi Colomb ? capitaine de négrier ? est-ce toi vieux pirate, vieux corsaire ?
la nuit s'augmente d'éboulis.
Colomb, Colomb,
Réponds-moi réponds-moi donc :
beau comme la matrice d'ombre de deux pitons à midi
l'archipel
turbulence d'orgues couchées
sacrifice de verres de lampes croisés sur la bouche des tempêtes
branle-bas virulent pris tout absurde dans le mouvement des pâtures et des scolopendres

c'est moi ce soir jurant toute la forêt ramassée
  en anneaux de cris violents
Colomb, Colomb,

ÉCHO, PREMIÈRE VOIX *(ironique)*

gloire au restaurateur de la patrie

ÉCHO, DEUXIÈME VOIX *(ironique)*

gloire et reconnaissance à l'éducateur du peuple

ÉCHO, LES CHANTRES *(braillant)*

salvum fac gubernatorem

LE REBELLE

Iles heureuses ;
jardins de la reine
je me laisse dériver dans la nuit d'épices de
  tornades et de saintes images
et le varech agrippe de ses petits doigts d'enfants
mon barrissement futur d'épave

LES CHANTRES *(braillant)*

salvum fac civitatis fundatorem

LE REBELLE

une tour

il y a des lézardes dans le mur : je vois une
   comète dessus
une forêt pleine de loups
et ils se promènent là dedans mitre en tête
un plat de champignons vénéneux
et ils se jettent dessus goulûment

LES CHANTRES INVISIBLES
(braillant plus fort)

salvum fac...

LE REBELLE

allez-vous-en
allez
rats que je plains
rats qui vous apercevez que le vaisseau est
   pourri
allez allez en paix
enlevez d'ici vos carcasses peintes
vos carcasses pieuses.

LES CHANTRES *(braillant)*

salvum fac...

LE REBELLE

un singe, je suis un singe qui par ses grimaces
   attroupe les escales de flaques d'eau de pou-
   drières de désespérance de famine de vengeance rentrées, de détresses nucléaires, de
   dévotions inavouables

— 96 —

et c'est toi que j'interroge
ô vent
calme face peinte de guano de contorsions
vent des déserts debout de cactus et de sphinx
calamiteusement
as-tu entendu quelque chose ?

LE RÉCITANT *(ricanant)*

une flotte des flottes :
l'armada du destin

LA RÉCITANTE

oh, la levée des bâtardeaux :
une agonie sur les eaux
une voix dans la citerne
une grosse voix de guépard pluvieux
dans la citerne dans la forêt de l'océan.

LE REBELLE

ici est ma quérencia.

LA RÉCITANTE

... une foule de marsouins de frégates de conni-
vences avant-garde de vocératrices et de fos-
soyeurs

> *(La scène est envahie par des prêtres
> de tous ordres qui bénissent frénéti-
> quement.)*

LE REBELLE

Nom de dieu,
mais foutez le camp, espèce de nom de dieu
est-ce que les bourreaux n'essaient pas leur
   hache sur le billot ?
est-ce que les oiseaux de proie ne violentent
   pas le cerne de leurs yeux ? est-ce pour vous
   voir que les pyramides se sont cette nuit
   haussées sur la pointe des pieds ?

LE RÉCITANT

nous sommes au moment où dans la nuit crou-
   lière le piège sans murmure commence à
   fonctionner

LA RÉCITANTE

nous sommes au moment où l'ombre se pro-
   jette sur le mur assassiné la main lourde

LE RÉCITANT

nous sommes au moment où nettoyée d'insectes et de parasites toute parole est belle et
   mortelle

LA RÉCITANTE

nous sommes au sommet où la pluie meur-
   trière aiguise blanc chaque dent de pierre
   dans le champ

Homme toutes les paroles d'aujourd'hui sont
   pour toi.
Homme toutes les paroles d'homme ont les
   yeux braqués sur toi

LE REBELLE

Et moi je veux crier et on m'entendra jusqu'au bout du monde *(il crie)*
mon fils, mon fils.

LE RÉCITANT

le fils arrive

LE REBELLE
(faisant mine de bercer un enfant)

trois enfants noirs jouent dans mon œil
sollicités de chiens
et les galaxies ouvertes dans ma main fou-
   droient le paysage
de plaintes
de lèpres
d'éléphantiasis
de non-lieu de déni de justice de lynchage de
   morts lentes
pikaninies
pikaninies
et de votre rire indompté
rire de larves
rire d'œuf

votre rire de paille dans leur acier
votre rire de lézarde dans le mur
votre rire d'hérésie dans leurs dogmes
votre rire qui tatoue les monnaies sans qu'il
  s'en doute
votre rire irrémédiable
votre rire de vertige où s'abîmeront fascinées
  les villes
votre rire de bombe en retard sous leurs pieds
  de maîtres
toucan
vent du désastre
aspergé de liqueurs fortes
pikaninies rongés de soleil
attention à la tache maléfique du soleil
au cancer de soleil qui rampe vers votre cœur
jusqu'à ce que tombe
rire de vos pieds nus
le monde
grand vol fou de poule écrasée

(Il rit frénétiquement.)

LA RÉCITANTE

Le fils arrive

LE RÉCITANT

le fils arrive

LE CHŒUR

attention le fils arrive

c'est bien ; je demande une torche et mon fils
    arrive

LA RÉCITANTE

attention le fils arrive

LE REBELLE

un trésor, mais c'est moi qui leur réclame mon
    trésor volé,
Londres, Paris, New York, Amsterdam
je les vois toutes réunies autour de moi comme
    des étoiles, comme des lunes triomphales
et je veux avec mes mauvais yeux, mon haleine
    pourrie, mes doigts d'aveugle dans la ser-
    rure,
supputer
ah, supputer sous leur calme et leur dignité et
    leur équilibre et leur mouvement et leur
    bruit et leur harmonie et leur mesure,
ce qu'il a fallu de ma nervosité
de ma panique
de mes cris d'éternel clochard et de dés de
    sueur de ma face suante pour faire cela, mon
    fils !

    *(Musique aussi hot que possible : le
    piano ricane, fuites et zigzags de la
    clarinette que de temps en temps rat-
    trape, avec une grande tape dans le
    dos, le rire jovial du trombone.*

La prison est entourée d'une foule porteuse de flambeaux vociférant des cris, des insultes. Derrière les barreaux le Rebelle.)

UN ORATEUR
(désignant le Rebelle)

camarades c'est pour vous dire que cet homme est un ennemi public et un emmerdeur. comme si on n'en avait pas assez d'emmerdements ? bien sûr qu'on était pas heureux. Et maintenant, camarades, est-ce qu'on est heureux avec la guerre et la vengeance des maîtres sur les bras ? Alors je dis qu'il nous a trahis.

LE REBELLE

cuve de scorpions.

LA FOULE-CHŒUR

A mort.

LE REBELLE

lâches j'entends dans vos voix le frottement de la bricole.

LA FOULE-CHŒUR

A mort, à mort.

dans vos voix de chacal la nostalgie des muse-
   lières

LA FOULE-CHŒUR

Mort, mort.

LE REBELLE

Ah, je vous plains âmes gâchées : toute la vieil-
   lesse du monde sur votre jeunesse cannibale
   sans espoir ni désespoir...

LA FOULE-CHŒUR

Tue, tue. A mort !

LE REBELLE

Malheur sur vos têtes ! A moi, ô mort, milicien
   aux mains froides.

LA FOULE-CHŒUR

vive la paix.

LE REBELLE

Vive la vengeance
les montagnes trembleront comme une dent
   prise au davier

les étoiles écraseront contre terre leur front
de femmes enceintes...

Ecoutez-le, écoutez-le...

LE REBELLE

... les soleils arrêtés feront de nuit d'immenses
cocotiers catastrophiques...

LE CHŒUR

Malheur, malheur.

LE REBELLE

Ah, vous ne partirez pas que vous n'ayez senti
la morsure de mes mots sur vos âmes imbé-
ciles
car, sachez-le, je vous épie comme ma proie...
et je vous regarde et je vous dévêts au milieu
de vos mensonges et de vos lâchetés
larbins fiers petits hypocrites filant doux
esclaves et fils d'esclaves
et vous n'avez plus la force de protester, de
vous indigner, de gémir,
condamnés à vivre en tête à tête avec la stupi-
dité empuantie, sans autre chose qui vous
tienne chaud au sang que de regarder ciller
jusqu'à mi-verre votre rhum antillais...
Ames de morue.

LA FOULE-CHŒUR

Bravo, bravo

LE REBELLE

mes amis
j'ai rêvé de lumière, d'enseignes d'or, de som-
   meils pourprés de réveils
d'étincelles et de peaux de lynx

LA FOULE-CHŒUR

Bravo, mort aux tyrans.

LE REBELLE

Et en effet des catacombes essoufflées de la fin
   et du commencement
la mort s'élance vers eux comme un torrent de
   chevaux fous, comme un vol de moustiques...

LE GEÔLIER

Silence.

LE REBELLE

Allons, bonnes gens, c'est vrai que je vous im-
   portune... et vous voudriez m'empêcher de
   parler... faites-moi peur, faites-moi bien peur,
   je suis très lâche vous savez : j'ai tremblé de
   toutes les peurs depuis la peur première.

le gredin !

LE REBELLE

faites-moi peur, faites-moi très peur je vous
dis. Et vous savez les bons moyens : serrez-
moi le front avec une corde, pendez-moi par
les aisselles, chauffez-moi les pieds avec une
pelle rougie.

LE GEÔLIER

Tais-toi, nom de dieu.

LE REBELLE

percez-moi la bouche d'un cadenas rougi au
feu !

LA GEÔLIÈRE

il me tente !

LE REBELLE

marquez-moi à l'épaule d'une fleur de lys, d'un
verrou de prison, ou de vos initiales entrela-
cées tout simplement, Jean ou Pierre ou
Jeanne ou Louise ou Geneviève... c'est ça...
ou d'un drapeau... ou d'un canon... ou d'une
croix... ou d'un trèfle

tous les diables de l'enfer tisonnent dans sa
  couenne noire

LE REBELLE

... ou bien de vos chiffres entrelacés ou bien
  d'une formule latine

LE GEÔLIER

Assez.

LE REBELLE

ils font les scrupuleux. Ne vous gênez pas,
  j'étais absent au baptême du christ !

LE GEÔLIER

ça se voit à l'œil nu !

LE REBELLE

Et je m'accuse d'avoir ri de Noé mon père nu
  mon père ivre
et je m'accuse de m'être vautré d'amour dans
  la nuit opaque, dans la nuit lourde.

LA GEÔLIÈRE

frappe-le, frappe-le, cela fera du bien à sa vi-
  laine couenne

qui es-tu femme ?

j'en ai connu des femmes; des seins surpris au
pâturage

LA GEÔLIÈRE

aïe, le goujat, il m'insulte : le salaud, il m'insulte tu entends ?

LE GEÔLIER

Insolent, dégoûtant, singe libidineux !

*(Il le frappe; la femme le frappe éga-
lement.)*

LE CHŒUR

que son sang coule

LE DEMI-CHŒUR

qu'il coule

LE CHŒUR

je ne pousserai pas de gémissements

LE DEMI-CHŒUR

O sang plus riche et salé que n'est doux le miel

LE REBELLE

Le Roi... répétez : le roi !
toutes les violences du monde mort
frappé de verges, exposé aux bêtes
traîné en chemise la corde au cou
arrosé de pétrole
et j'ai attendu en san-benito l'heure de l'auto-
    dafé
et j'ai bu de l'urine, piétiné, trahi, vendu
et j'ai mangé des excréments
et j'ai acquis la force de parler
plus haut que les fleuves
plus fort que les désastres

LE GEÔLIER

Dis donc il se fout de nous le moricaud... bien
    sûr qu'il fait le fou.
plus fort, encore plus fort...

(Il frappe.)

LE REBELLE

Frappe... frappe commandeur... frappe jusqu'au
    sang... il est né du sillon une race sans gé-
    missements... frappe et lasse-toi.

LA GEÔLIÈRE

bûche; quelle bûche. C'est une bûche te dis-je...
    une drôle de race ces nègres... crois-tu que
    nos coups lui fassent mal ? en tout cas ça ne

marque pas *(elle frappe.)* Oh, oh, son sang coule.

LE GEÔLIER

il essaie de nous faire peur, allons-nous-en...

LA GEÔLIÈRE

Ah, il déraille sérieusement... c'est à mourir de rire... Dis c'est marrant le sang rouge sur la peau noire.

LE REBELLE *(sursautant)*

des mains coupées... de la cervelle giclante... de la charogne molle
pourquoi rester sous la pluie de scorpions venimeux ?
les tamanoirs égarés dans les époques lapent au pavé des villes des fourmis d'aigue-marine. Les sarigues cherchent entre le joint des équinoxes
un arbre roux un arbre d'argent
une volonté se convulse dans le mastic bourbeux des fatalités et le cache-cache des vers luisants

(Il s'écroule en gémissant.)

LA RÉCITANTE

quelle nuit; quel vent; c'est comme si le vent et la nuit s'étaient furieusement battus : de

grosses masses d'ombre s'écroulent avec tout
le panneau du ciel et la cavalerie du vent se
précipite au vol fouetté de ses cent mille
burnous

(*Le vent apporte des bribes de spirituals.*)

LE REBELLE

Tout s'efface, tout s'écroule
il ne m'importe plus que mes ciels mémorés
il ne me reste plus qu'un escalier à descendre
   marche par marche
il ne me reste plus qu'une petite rose de tison
   volé
qu'un fumet de femmes nues
qu'un pays d'explosions fabuleuses
qu'un éclat de rire de banquise
qu'un collier de perles désespérées
qu'un calendrier désuet
que le goût, le vertige, le luxe du sacrilège ca-
   piteux.
Rois mages
yeux protégés par trois rangs de paupières
   gaufrées
sel des midis gris
distillant ronce par ronce un maigre chemin
une piste sauvage
gisement des regrets et des attentes
fantômes pris dans les cercles fous des rochers
   de sang noir
j'ai soif
oh, comme j'ai soif
en quête de paix et de lumière verdie
j'ai plongé toute la saison des perles

aux égouts
sans rien voir
brûlant

des malédictions écrasées sous les pierres pal-
pitent en travers du chemin avec de lourds
yeux de crapauds; un grand bruit dément
secoue l'île par le ciel, les os tragiques se
déroulent contre nature, une nuit mal drai-
née et malsaine fait le tour du monde.

LE CHŒUR

je me souviens du matin des îles
le matin pétrissait de l'amande et du verre
les grives riaient dans l'arbre à graines
et le vesou ne sentait pas mauvais
non
dans le matin fruité !

LE REBELLE

je cherche les traces de ma puissance comme
un dans la brousse les traces perdues d'un
grand troupeau et j'enfonce à mi-jambes
dans les hautes herbes du sang.
Pauvres dieux, faces débonnaires, bras trop
longs, chassés d'un paradis de rhum, paumes
cendreuses visitées de chauve-souris et de
meutes somnambules !
Montez, fumées, éclairez le désastre...

j'ai saigné dans les couloirs secrets, sur le sol
  grand ouvert des batailles
Et
je m'avance, mouche dédorée grand insecte
  malicorne et vorace
attiré par les succulences de mon propre sque-
  lette en dents de scie,
legs de mon corps assassiné violent à travers
  les barreaux du soleil

                    LE RÉCITANT

dépecé, éparpillé
dans les terrains dans les halliers
poème éventré
émigration de colombes, brûlées arrosées
  d'eau-de-vie...

                LA RÉCITANTE

L'île saigne

                LE RÉCITANT

L'île saigne

              LA RÉCITANTE

cul-de-sac de misère, de solitude, d'herbe
  puante

                LE REBELLE

le caïman les torches les drapeaux
et l'Amazone debout d'hévéas

et les lunes tombées comme des graines ailées
  dans l'humus tiède du ciel
mon âme nage en plein cœur de mælström
là où germent d'étranges monogrammes
un phallus de noyé un tibia d'un sternum

>   *(Ici la prison est envahie des grandes
>   ombres de l'hallucination et des réa-
>   lités sombres du cauchemar.)*

PREMIÈRE VOIX SOUTERRAINE

O roi

DEUXIÈME VOIX SOUTERRAINE

O roi debout

PREMIER CHUCHOTEMENT

chevaux de la nuit

DEUXIÈME CHUCHOTEMENT

Entraînez-le, entraînez-le

LE REBELLE

est-ce qu'ils croient m'avoir comme la laie et
  le marcassin ?
m'extirper comme une racine sans suite ? Parole,

entre les hautes rives de sel, entre les gorges,
   tu sinues, je te hèle, ramenant de très loin
   ton butin de choses patientes raclées aux
   profondeurs, tu sinues.
Toi, bouche, fais face,
nom assourdi de la blessure énorme !

(Pause.)

Cavales du feu, saurai-je encore dans le creux
de mon souffle hérisser vos crinières ?
Oh ! mes pauvres héros.
Ceux qui du Dahomey venaient, n'ayant em-
   porté, trésor,
que leur bouche fermée sur quelques simples
   formules
la connaissance des herbes la rigueur de mourir
les hauts seigneurs du tambour
Ceux d'un Congo de spasme
(notre vie — Mayumbé, l'avais-tu sourde Fortune assez mordue de tes crocs de Congo !)
Ceux qui pour venir avaient traversé de hautes
   forêts, de larges déserts, surtout la mer immense,
Ceux qu'avaient mordus l'harmattan et roulés
   l'alizé
et puis honte et douleur et rage
   et le crachat plus vaste que la mer !
Et vous, chevaliers de la houe,
princesses du vetiver
paladins du coutelas
(Ibos, notre vie — Ibibio, nous avais-tu assez
   passé autour du cou, ton lacis de marais, de
   rivières, de mangroves,

Vrac, aventure de ma soif, oubli aux trois quarts bu !

Oh les guerriers, les esclaves, les marrons, les sorciers, mon sang, trésor aux épines sauvé, pleine image, sang complet, omniscient-sang loyal,

et vous les camarades

canaliers, coupeurs, amarreuses, piroguiers,

(notre vie — brousse foutue, l'avais-tu Fortune assez à sac mise

en herbe grise en herbe sèche en triste herbe humiliée)

Oh ! tant de directions échouées,

tant d'eaux écroulées,

tant de terres éboulées,

tant de berges fugaces,

et me voici tout soudain nul la bouche amère seul vraiment vous-même

et me voici au milieu de la route

ayant de la boue aux pieds, je m'arrête, il fait chaud

je panse mes orteils et tout soudain avant de reprendre la route

je lève la tête vers le mitan du ciel. Heure claire guettée des sphinx

c'est bien aussi le lieu.

Pour moi Carrefour si tu nous pèses

dans tes balances de poussière, de l'eau filtrée de ma voix

je ferai poids,

car ce qui ouvre la route

c'est tout aussi le cri puisé au creux boueux de l'attentif gisement fidèle.

Qu'on le sache : si l'on pouvait choisir,

Ténébreuse — Mémoire-fidèle — et Coutre-de-
l'avenir
je bâtirais ce nom au creux vif du courant

(Pause.)

Disons
trois femmes,
la première nous perça de son épée
la rouge nous revêtit de l'hoirie de son sang,
la troisième,
j'ai ranimé sa voix mal tuée par le silex
j'ai humecté de ma salive ses lèvres et j'ai
chanté le chant :
« Douce lumière conduis-nous »

(Pause.)

Obstacle donc salut !
par lequel je m'éprouve multiple et difficile !
et toi rythme, flux de toujours, reflux de toujours,
dans ma noire pierre ingrate daba du sang
et ma réponse

(Pause.)

et je me lève, et je tiens ferme
au milieu de toutes ces eaux charrieuses
de branches, de boues et de serpents.
C'est vrai, j'ai dans l'oreille le vent gris des
semonces,
mais que me font les semonces,
je sais l'heure, mes terres, mes semences.
A hauteur de poitrine d'homme, à jachère de
soleil
je dis toujours qui lève le beau mil de l'espoir !
Aile sûre des graines, je suis prêt !

glèbe tassée, je suis prêt, eau des vertelles, je
   suis prêt !

Tournesols de l'ombre, inclinez vos faces de
   boussole vers le plus noir des minuits...

que l'on m'invente des tortures, que l'on sonne
   l'olifant, fil de toron
fil de toron

voici ma main. voici ma main
ma main fraîche, ma main de jet d'eau de sang
ma main de varech et d'iode
ma main de lumière et de vengeance...

Dieux d'en bas, dieux bons
j'emporte dans ma gueule délabrée
le bourdonnement d'une chair vivante
me voici...

(Pause.)

une rumeur de chaînes de carcans monte de
   la mer...
un gargouillement de noyés de la panse verte
   de la mer... un claquement
de feu un claquement de fouet, des cris d'assas-
   sinés...

... la mer brûle
ou c'est l'étoupe de mon sang qui brûle
Oh le cri... toujours ce cri fusant des mornes...
   et le rut des tambours et vainement se gonfle
   le vent de l'odeur tendre du ravin moisi
d'arbres à pain, de sucreries, de bagasse har-
   celée de moucherons...
Terre ma mère j'ai compris votre langage de
   cape et d'épée
mes frères les marrons le mors au dent
mes frères les pieds hors clôture et dans le torrent
ma sœur l'étoile filante, mon frère le verre pilé
mon frère le baiser de sang de la tête coupée
   au plat d'argent
et ma sœur l'épizootie et ma sœur l'épilepsie
mon ami le milan
mon ami l'incendie
chaque goutte de mon sang explose dans la
   tubulure de mes veines
et mon frère le volcan aux panses de pistolet
et mon frère le précipice sans rampe de bali-
   siers
et ma mère la folie aux herbes de fumée et
   d'hérésie
aux pieds de croisade et de bâton
aux mains d'hivernage et de jamais
et de jujubier et de perturbation et de soleil
   bayonnetté

> (Le Rebelle se met à marcher, à ram-
> per, à courir dans d'imaginaires brous-
> sailles, des guerriers nus bondissent,
> un tam-tam bat lointainement.)

LA RÉCITANTE

O la danse des étoiles sans nom... les savanes s'animent... les pluies fument... des arbres inconnus tombent palmés de foudre.

LE RÉCITANT

Qu'est-ce qu'elle dit ? qu'est-ce qu'elle dit ?

(A ce moment le Rebelle se redresse.)

LE REBELLE

Les chenilles rampent vers l'auberge des bonnets de coton... La cuve de la terre s'est éteinte... c'est bon... mais le ciel mange du bétel... ha, ha le ciel suce des poignards... Roi de Malaisie et de la fièvre pleine d'insectes, mâche bien ton kriss et ton bétel... Mon fils, mon fils, une balle pourrit entre tes sourires blancs... aïe, je marche dans des piquants d'étoiles. Je marche... J'assume... J'embrasse...

(Le Rebelle s'affaisse, les bras étendus la face contre terre, à ce moment des tam-tams éclatent, frénétiques, couvrant les voix.)

LE REBELLE

Accoudé à la rampe de feu
les cris des nuages ne me suffisaient pas

Aboyez tam-tams
Aboyez chiens gardiens du haut portail
chiens du néant
aboyez de guerre lasse
aboyez cœur de serpent
aboyez scandale d'étuve et de gris-gris
aboyez furie des lymphes
concile des peurs vieilles
aboyez
épaves démâtées
jusqu'à la démission des siècles et des étoiles.

LE RÉCITANT

Mort, il est mort

LA RÉCITANTE

Mort dans un taillis de clérodendres parfumés.

LE RÉCITANT

Mort en pleine poussée de sisal

LA RÉCITANTE

Mort en pleine pulpe de calebassier

LE RÉCITANT

Mort en plein vol de torches, en pleine fécon-
dation de vanilliers...

LA RÉCITANTE

Les secrets enfermés sous un tour de gorge
montent dans le clocher du sang. Les femmes
possédées dressent leurs mains savonneuses
aux quatre coins du marais au cœur rouge ;
les soifs nouvelles s'écoulent, lunes cassées
à la même miche d'eau, une pierre au front.

LE RÉCITANT

Kohol sans langueur l'atmosphère blasée de
porte vide tient du miracle un ricanement
de roucou précieux. Une boussole meurt de
convulsion dans une lande, jatte de lait à la
fin du monde.

LA RÉCITANTE

Dans la forêt les meurtrières coulent avec des
rires de fontaine et les fleuves sans signaux
trament l'aventure charnue des voyages viru-
lents.
Sang nomade en coquetterie de mort et de ge-
nèses
gaspille du fond des pierres trouées et de la
nuit des âges
le rire mortel des momies caverneuses !

LE RÉCITANT

Tour des veilles, écroulez-vous !

LA RÉCITANTE

Tour des vengeances, écroulez-vous plus bas
   que la parole !

LE RÉCITANT

Plantes parasites, plantes vénéneuses, plantes
   brûlantes, plantes cannibales, plantes incen-
   diaires, vraies plantes, filez vos courbes im-
   prévues à grosses gouttes.

LA RÉCITANTE

Lumière décomposée en chaque splendeur
   avare,
cargaison de poissons d'or, fruits fourbus,
fleuve à mes lèvres foudroyées.

LE RÉCITANT

Orgie, orgie, eau divine, astre de chairs lu-
   xueuses, vertige
îles anneaux frais aux oreilles des sirènes plon-
   gées
îles pièces tombées de la bourse aux étoiles

LE CHŒUR

grouillement de larves, talismans sans valeur
îles
terres silencieuses
îles tronquées

LE RÉCITANT

Je viens à vous

LA RÉCITANTE

Je suis une de vous, Iles !

> *(Le Récitant et la Récitante vacillent sur leurs jambes puis s'effondrent, le chœur sort à reculons.*
>
> *Vision de la Caraïbe bleue semée d'îles d'or et d'argent dans la scintillation de l'aube.)*

TABLE DES MATIERES

ACHEVÉ D'IMPRIMER PAR
L'IMPRIMERIE GOUIN et Cie
37, RUE DE L'UNION
A EZANVILLE (Val-d'Oise)

N° d'éditeur : 102
N° d'imprimeur : 1731
Dépôt légal : 1er trimestre 1974

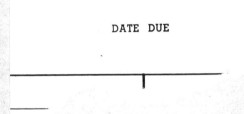

DATE DUE